10 MINUTOS
al día para
ALIVIAR TU ESPALDA

10 MINUTOS al día para ALIVIAR TU ESPALDA

RBA

NOTA IMPORTANTE: La intención de este libro es facilitar información y
presentar alternativas, hoy disponibles, que ayuden al lector a valorar
y decidir responsablemente sobre su propia salud, y, en caso de enfermedad,
a establecer un diálogo con su médico o especialista. Este libro no pretende,
en ningún caso, ser un sustituto de la consulta médica personal.

Aunque se considera que los consejos e informaciones son exactos
y ciertos en el momento de su publicación, ni los autores ni el editor
pueden aceptar ninguna responsabilidad legal por cualquier error
u omisión que se haya podido producir.

© 2017, RBA Revistas, S. L.
© de esta edición: RBA Libros, S.A., 2018
Avda. Diagonal, 189 - Barcelona 08018
www.rbalibros.com

Coordinación de contenidos: Sira Robles y Charo Sierra
Edición: Mar Claramonte
Diseño de cubierta: Rocío Hidalgo
Diseño y maquetación: Tana Latorre
Fotografías de interior: Archivo RBA, Shutterstock, Depositphotos, StockFood

Primera edición: junio de 2018.

REF.: RPRA445
ISBN: 978-84-9187-041-8
Depósito legal: B-10.189-2018

Impreso en España - *Printed in Spain*

CONTENIDO

Introducción

Tu mejor plan para vivir sin dolor   8

Las malas posturas como origen   12

Autotest: ¿tu dolor es mecánico o de tipo inflamatorio?   13

Mañana

Empieza el día cuidando tu espalda   16

Levántate de la cama sin dolor   22

Las claves del ejercicio perfecto   24

Abdominales que sí te protegen   28

Pisar bien alinea tus vértebras   30

Así te afectan los tacones   32

10 minutos de alivio por la mañana   34

Tu valoración   42

Mediodía

Al mediodía, tómate un respiro	46
Revisa cómo colocas tu cuerpo	52
Corrige tu "postura de espera"	54
La mejor forma de sentarse	56
Posturas en casa que ayudan a alejar lesiones	58
10 minutos de alivio al mediodía	64
Tu valoración	74

Noche

Por la noche libérate de tensiones	78
La cama ideal para ganar confort	84
Qué hacer ante una crisis de dolor	88
Aplica un poco de frío o de calor	90

Logra un alivio al instante   92
Remedios naturales antidolor   94
Por qué masajear tus pies   96
10 minutos de alivio por la noche   100
Tu valoración   110

Dieta
Mantener la línea aleja el dolor   114
Así influye el peso en tu espalda   116
Tus armas antikilos   118
Menús que adelgazan y alivian   120

Elige tu momento
Pon en marcha tu plan antidolor   136

Tu mejor plan para vivir sin dolor

A veces se considera, erróneamente, que puesto que el dolor de espalda es una constante o lleva demasiado tiempo con nosotros, es imposible de vencer. Sin embargo, vivir sin dolor es posible. Aún más: es deseable.

Una frase atribuida durante mucho tiempo al físico Albert Einstein (en realidad no se sabe quién la dijo), recoge muy bien lo que se desea transmitir en el libro que tienes en tus manos: "Si deseas resultados diferentes, no hagas siempre lo mismo".

APRENDER A MOVERNOS

Repetir una y otra vez los mismos gestos y los mismos movimientos, y hacerlo siempre exactamente de la misma manera, es uno de los grandes enemigos de nuestra columna vertebral. La cosa no sería tan problemática si nos moviéramos correctamente, pero lo cierto es que nuestros gestos están llenos de vicios (giros bruscos, flexiones forzadas, estiramientos indebidos…) que suponen una agresión continua sobre cada una de las vértebras que nos sujetan.

● **Tiempo atrás** cualquier actividad suponía realizar un ejercicio físico que se traducía en una cierta mejora de la musculatura (nos levantábamos para apagar y encender el televisor; no disponíamos siempre de vehículo con lo cual nos veíamos obligados a caminar más…). Sin embargo, hoy día vivimos en un mundo mecanizado donde, a no ser que lo hagamos a conciencia, no trabajamos las estructuras musculares. Lógicamente, cuando hay una lesión "el cuerpo no aguanta" de la misma forma que si tuviera un buen colchón o sostén (un músculo en buena forma).

UN MAL MUY EXTENDIDO

Se calcula que más de 45 millones de trabajadores en toda Europa tiene alguna lesión lumbar, y en España, esa es una muestra más de que no estamos haciendo muy bien las cosas.
● **La naturaleza nos ha dado** el privilegio de poder caminar sobre dos extremidades pero muchas veces hacemos las cosas contra-natura (de una manera poco saludable) y esa

Sabías que...

Cuando caminamos utilizamos unos 200 músculos al mismo tiempo. Es importante hacerlo bien, tal y como te explicamos en uno de los apartados de esta guía, porque si el movimiento es incorrecto los grupos musculares que facilitan su inicio adoptarán posturas forzadas. Y, por un efecto dominó, eso afectará a otros músculos que tratarán de compensar. En esas condiciones, el dolor está servido.

prerrogativa se convierte en una situación continua de dolor. Hay que tener en cuenta que caminar de forma bípeda (sobre dos piernas) implica que la columna tenga que girar constantemente. Si no lo hiciera, no podríamos sostener el peso del cuerpo cuando uno de los pies se levanta del suelo para avanzar. Si, además de ese esfuerzo (algo que no tienen que soportar los animales que caminan a cuatro patas) nuestras vértebras reciben sobrecargas añadidas (nuestro sobrepeso, las bolsas de la compra, flexiones que presionan esas estructuras…), resulta comprensible que nos duela y se dañe.

Pero eso no significa que no se pueda hacer nada al respecto. Vivir sin dolor de espalda sí es posible. Es suficiente con "acordarnos de ella" en cada movimiento. Parece difícil y, sin embargo, no lo es. Cuando uno se acostumbra a hacer movimientos correctos nuestro cerebro los registra, los guarda en su acervo. Basta ser constantes, repetirlos a diario para que luego surjan espontáneamente.

El dolor modifica nuestro cerebro

Los estudios han demostrado que las personas que soportan un dolor prolongado tienen un cerebro distinto.

La sustancia gris se reduce entre un 5 y 11% de su volumen, lo que equivale a que el cerebro envejezca 20 años. Y si el dolor se prolonga se activan zonas cerebrales relacionadas con las emociones.

NUEVAS FORMAS DE ALIVIAR

En Estados Unidos, una de las naciones que más fármacos consumen, se está comprobando que hay otras formas de aliviar el dolor crónico de espalda. Los analgésicos y los relajantes musculares no están exentos de efectos secundarios importantes y, hasta la fecha, su uso y abuso ha sido bien documentado y recogido por las investigaciones médicas. De ahí que en la actualidad los expertos se muestren muy favorables a otro tipo de terapias.

Entre ellas destaca el uso del yoga (para ganar flexibilidad y superar el dolor a través del manejo de la respiración) y también el llamado Mindfulness o consciencia del momento presente. Una reciente investigación americana ha demostrado que aplicar esta filosofía al dolor crónico logra, a las 26 semanas, reducir de manera significativa las molestias. ¿Y cuál es el secreto? No es otro que la persona con dolor tome consciencia de dónde le duele, la intensión de esa sensación y la aceptación del mismo. De esa forma, se consigue una percepción distinta del dolor, que normalmente se incrementa —en muchos casos se dispara— cuando se le añade la sensación de impotencia, rabia o estrés.

● **Esta guía te puede servir** de mucha ayuda para "volver a sentir tu cuerpo", escucharlo y actuar antes de que sea demasiado tarde. Porque no debemos vivir repitiendo una y otra vez los mismos errores, y menos aún cuando se trata de cuestiones de salud.

● **En estas páginas podrás** comprobar que se puede hacer mucho por vivir sin dolor. Basta con cambiar

Elige tu momento para cuidar la espalda

Ante todo, flexibilidad. Los ritmos de vida varían de una persona a otra. Por eso, en esta guía te hacemos tres propuestas diferentes.

TU PLAN de la mañana. Si es cuando más molestias notas y si a esas horas dispones de 10 minutos, sigue esta propuesta (páginas 34 a 41).

TU PLAN de mediodía. Cuando el estrés cargue tu espalda, te conviene hacer un paréntesis saludable en mitad de la jornada (páginas 64 a 73).

TU PLAN de la tarde. Si no has podido antes o si deseas desconectar y no volver a levantarte con dolor, sigue esta propuesta (páginas 100 a 109).

Hay posturas que descargan en segundos tu espalda. Esta es una de ellas.

un poco las rutinas: igual que nos lavamos los dientes al terminar de comer o nos quitamos el abrigo al llegar a casa, cuidar la espalda con pequeños estiramientos sanadores debería ser un hábito diario. Solo debes acostumbrarte a realizarlos en el momento del día que desees.

● **Cada uno de los estiramientos** que aquí te proponemos, cada uno de los consejos, supone un respiro, un pequeño alivio para tu columna maltrecha. No esperes a sentir dolor para ponerlos en práctica. Como ya hemos dicho, si eres insistente, en pocos días se habrán convertido en una sencilla rutina más.

● **Bastan 10 minutos.** Lo dicho anteriormente no debe llevarte a pensar que necesitas dedicar horas al cuidado de la espalda. No es así, el mejor plan es ser consciente de cómo te mueves, corregir los gestos que suponen una carga añadida para las vértebras y dedicar, tan solo, diez minutos al día para estirar y que tus músculos se alarguen. Con ello, tus vértebras se liberarán de tensiones y evitarás que enfermen o se desgasten antes de tiempo.

Sabías que...

El 80% de las lumbalgias (en la parte baja de la espalda), son inespecíficas. Eso significa que el especialista nunca podrá determinar el origen. En parte es buena noticia porque no suele haber ningún motivo serio detrás y en realidad el dolor avisa de que con buenas posturas se solventa.

Las malas posturas como origen

Lo dicen las estadísticas: la mayoría de los dolores de espalda se deben a malas posturas, o cargas indebidas, y se resuelven en 4-6 semanas. Pero es importante saber si efectivamente es solo un dolor mecánico o si también hay inflamación.

Debes procurar que tu espalda esté siempre recta.

Por lo general, el dolor de espalda más habitual, que todos hemos padecido en alguna ocasión, es el agudo y debido a una sobrecarga muscular. Suele durar unos días o un par de semanas y luego desaparece. Pero si dura más de tres semanas, impide dormir bien (incluso provoca desper-tares nocturnos) y no notas mejoría ni tomando analgésicos debes acudir cuanto antes a tu médico.

• **Causas no mecánicas.** La artritis o una infección son las más habituales. Y en algunos raros casos, el causante es un tumor que comprime la columna vertebral.

• **Causas neurogénicas.** La hernia de disco o la fibromialgia se encuentran en este apartado y conviene tratarlas adecuadamente.

• **Dolor visceral referido.** Es el menos habitual: el origen del dolor se encuentra en una inflamación del páncreas (pancreatitis) o en problemas renales.

Autotest

¿Tu dolor es mecánico
o de tipo inflamatorio?

Este test, elaborado por expertos reumatólogos, te puede ayudar a descifrar qué está pasando en tu columna vertebral. Aunque, como ya hemos dicho, la mayoría de veces el dolor de espalda es puramente mecánico y se resolvería con ejercicio físico y aprendiendo a movernos, en otras ocasiones puede existir un proceso inflamatorio que requiera control médico. Una vez respondido, quizá concluyas que debes visitar a un especialista.

Según los reumatólogos que han desarrollado este test, es muy probable que tu dolor sea inflamatorio si dura más de 3 meses y si respondes SÍ a al menos 4 de las 5 preguntas siguientes:

1. ¿Comenzaste a tener dolor de espalda antes de cumplir los 40 años?

☐ Sí   ☐ No

2. ¿Mejora tu dolor de espalda con la actividad o el movimiento?

☐ Sí   ☐ No

3. ¿Te parece que tu dolor de espalda no mejora cuando descansas?

☐ Sí   ☐ No

4. ¿Tu dolor de espalda te despierta por la noche y te obliga a levantarte?

☐ Sí   ☐ No

5. ¿Tu dolor de espalda se ha ido incrementando gradualmente?

☐ Sí   ☐ No

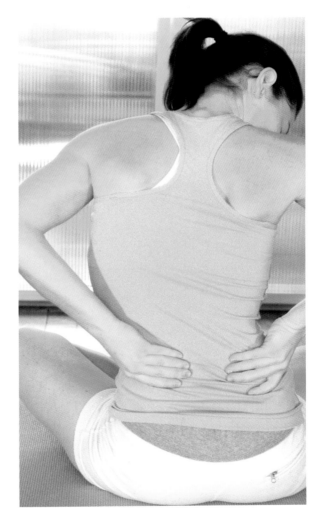

✓ Este cuestionario tiene una utilidad puramente orientativa y no pretende sustituir en ningún caso la opinión del experto.

✓ Si has respondido afirmativamente a 4 o 5 de las preguntas, consulta a tu médico para que, de manera conjunta, podáis establecer la causa de tu dolor. Una vez controlado, esta guía te servirá para cuidar mejor de tu columna vertebral.

Pon en marcha tu cuerpo
con energía y sin dolor

Multitud de factores pueden estar influyendo en que, recién levantada, tu espalda se queje. Desde una discusión importante a un exceso de obligaciones pasando por estar a disgusto con la vida. Todo ello hará que duermas contraída, acurrucada, buscando protección. La solución pasa por modificar las situaciones que lo causan pero también por cuidar tus vértebras desde primera hora para que no enfermen.

Empieza el día cuidando tu espalda

Las rutinas e incluso los pequeños gestos que realizas a primera hora del día condicionan en buena medida cómo va a estar tu espalda el resto de la jornada. Revisa esos hábitos matutinos y cámbialos para empezar el día sin dolor.

Antes de levantarte estira bien los músculos de la espalda.

La tendencia a adoptar malas posturas al dormir junto con la acumulación de estrés, preocupaciones... provoca que al despertarte a menudo sientas que tu espalda está incluso peor que cuando te acostaste. Por eso te conviene enderezar el problema de buena mañana.

1 Haz estiramientos sin moverte de la cama

Si habitualmente amaneces con la sensación de que tu cuerpo está entumecido, toma medidas antes de poner un pie en el suelo.

● **Antes de levantarte** resulta muy recomendable desperezarte para ayudar a tus músculos a despertarse poco a poco y sin brusquedad.

● **A continuación,** sigue estirándolos suavemente con unos sencillos movimientos en la cama o con posturas como las que te detallamos a partir de la página 34. Es importante que incorpores esta rutina a tu vida para empezar el día más relajada. Intenta realizar estos estiramientos regularmente, no solo cuando amanezcas con dolor de espalda.

2 Camina descalza algunos minutos

Empieza el día con buen pie andando por tu casa, primero de puntillas y luego de talones.

● **Este hábito** fortalece las estructuras de los pies. Ten en cuenta que a veces un apoyo inadecuado sobre estos provoca que el cuerpo se adapte buscando una postura no dolorosa, lo que puede traducirse transcurrido un tiempo en problemas en la columna vertebral.

● **Da unos cuantos pasos** hacia delante y otros hacia atrás. Y no solo en línea recta, sino también haciendo curvas y círculos en ambos sentidos, lo que te ayudará a realizar un paso firme y evitar torceduras.

Echar la cabeza demasiado atrás al ducharte fuerza las cervicales.

3 Reaprende a ducharte ¡y notarás mejoría!

No eches la cabeza atrás al ducharte, sobre todo si tu dolor suele concentrarse en las cervicales. Si lo haces, coge tu cabeza con una mano para que aguante la postura y reduzca en parte la carga que están recibiendo tus vértebras en ese momento.

● **No te laves solo la cabeza.** Cuando lo haces agachada sobre el lavabo (para no tener que mojar el cuerpo entero) las cervicales hacen un gran esfuerzo que se traduce en sobrecarga muscular. Por eso, siempre trata de ducharte de cuerpo entero para evitar esta postura que tanto fuerza las cervicales.

● **Aprovecha el momento.** Aplicar chorros de agua caliente sobre una espalda contracturada resulta un bálsamo estupendo. Si el dolor es intenso y/o crónico, es preferible que te acostumbres a hacerlo sentada. Si no dispones de bañera o plato con asiento, introduce en él una silla apta para el agua, antideslizante y regulable en altura.

4 Descansa tu pie al lavarte los dientes

De lo contrario, tu espalda se expone a recibir un 40% más de presión. Lo ideal, como te explicaremos en detalle más adelante, es apoyar un pie en una pequeña banqueta.

● **Hazlo también al lavarte la cara** o flexiona ligeramente las rodillas y apóyate en el lavabo.

● **Intenta mantenerte erguida** y no inclinarte hacia delante. Arquear la espada resulta muy perjudicial.

5 Elige un sujetador que no fuerce tu espalda

Tres de cada cuatro mujeres usan uno que no es de su talla, según aseguran diversos estudios.

● Este desajuste suele acabar provocando que adoptes posturas poco naturales que dañan tu espalda, o bien porque el sostén aprieta demasiado y los tirantes se clavan en los hombros, o porque queda holgado y tiendes a ir hacia delante.

● Para calcular bien tu talla, mide el contorno justo por debajo del busto, o pide que te asesoren en la tienda.

6 Vístete y cálzate mejor sentada

Piensa que cuando te vistes de pie adoptas posturas forzadas para la espalda, sobre todo al ponerte calcetines o medias y los zapatos.

● Lo ideal es sentarte en la cama o en una silla, levantar la pierna a la altura de la cadera y cruzarla sobre la pierna contraria, manteniendo la espalda lo más recta posible.

● Para calzarte, agáchate con las rodillas flexionadas y para atar hebillas o cordones eleva el pie apoyándolo en un taburete.

7 Desayuna alimentos ricos en fibra a diario

Especialmente si sufres estreñimiento, ya que si este problema dura varios días la acumulación de heces en el recto puede aprisionar los nervios pélvicos, lo que puede dar lugar a una dolorosa lumbalgia.

● Los cereales integrales y las frutas, por su alto contenido en fibra, son tus aliados para combatirlo.

● Complementa el desayuno con un yogur, ya que contiene microorganismos vivos que ayudan a normalizar el tránsito intestinal.

Los malos gestos al vestirte pueden tensar tu espalda.

8 Hasta como te abrigas te influye

Cuando sientes frío, tu cuerpo reacciona por instinto intentando disminuir la superficie de la piel expuesta a esa temperatura baja, y lo hace encogiéndose.

● Al hacerlo, los músculos se contraen y eso, unido a otros malos gestos cotidianos, puede acabar causándote una lesión.

● Puedes intentar corregir ese gesto "anti-frío" si te das cuenta de que estás realizándolo, aunque lo más sencillo es que vistas con ropa de abrigo adecuada para evitarlo.

9 Huye del "por si acaso" al llenar tu bolso

Un error típico de la mayoría de las mujeres es sobrecargarlo: la suma de todo tipo de objetos puede suponer una tortura para tu espalda ya desde las primeras horas del día.

La fibra en el desayuno evita el estreñimiento y aleja el riesgo de lumbalgia.

● **Intenta** evitar los bolsos grandes para no caer en la tentación de llenarlos en exceso. Ten en cuenta que los que te cuelgas del antebrazo suelen ser de los que más acaban fatigando tu espalda.

● **Lo ideal es un bolso pequeño** en bandolera que hay que ir cambiando de lado de vez en cuando para no dañar tus hombros, o bien uno tipo mochila. Piensa que casi siempre llevamos el bolso en el mismo brazo, el dominante de nuestro cuerpo, lo que frecuentemente puede acabar por descompensar la espalda.

10 No fumes nada más salir de casa

Si eres fumadora, lo más probable es que te apetezca fumar solo salir de casa. Ya sabes que no te conviene hacerlo, pero te damos otro buen motivo para vencer la tentación.

● **La nicotina provoca** que los vasos capilares que transportan la sangre a la columna se estrechen, lo que entorpece la llegada de nutrientes al disco vertebral.

● **Ese proceso repetido** una y otra vez genera daños en la estructura ósea y, por tanto, en tu espalda.

Sabías que...

Si siempre te levantas con dolor (y durante el día no notas tantas molestias), o incluso te despiertas por la noche porque su intensidad es alta, es posible que tengas un trastorno conocido como síndrome de dolor miofascial o espondiloartritis. Ante la duda, consulta a tu médico.

11 Si vas al gimnasio pide que te asesoren

Empezar la jornada en el gimnasio puede ser una excelente manera de tonificar tu espalda y así poder aguantar en mejor estado el resto del día. Sin embargo, asegúrate de que realizas las actividades más adecuadas para ese fin: elegir un deporte perjudicial para la columna o realizar determinados ejercicios sin la supervisión de un profesional puede resultar contraproducente.

● La mayoría de las mujeres, cuando se apuntan a un centro deportivo, se decantan por los ejercicios de pesas o la bicicleta elíptica. En ambos casos es básico dejarse asesorar por un monitor: de lo contrario pueden resentirse tus dorsales.

● Aprovecha para que te proponga algunos ejercicios específicos para fortalecer tus abdominales —mantenerlos tonificados es básico para la salud de tu espalda— y trabajar cervicales, dorsales y lumbares según te convenga más. Y si no vas al gimnasio, en las próximas páginas te proponemos algunos ejercicios muy sencillos que puedes hacer en casa.

La vitamina D que te proporciona el sol es antidolor.

12 Evita estresarte al volante

En caso de no tener más remedio que conducir a primera hora, intenta salir con tiempo y no ir con prisas. El temor a llegar tarde —más aún por quedarte atrapada en un atasco— es una de las situaciones que más puede tensar la musculatura. Pero si te ocurre, intenta mantener la calma para no agarrotarte.

● Ajusta bien el asiento de tu vehículo para que realmente tu espalda quede en reposo, sobre todo si debes cubrir una distancia larga. Usa bien el reposacabezas: su borde superior debe estar entre la parte superior de tu cabeza y la altura de tus ojos. Y entre tu cabeza y este soporte no debe haber una distancia mayor de cuatro centímetros.

● No conduzcas más de una hora seguida para no fatigar en exceso tu columna: haz las pausas que necesites y baja del coche para caminar aunque solo sean 10 minutos.

13 Exponte un rato al sol cada mañana

Un estudio de la Clínica Mayo (EE. UU.) sugiere que hay una relación directa entre la deficiencia de vitamina D y el dolor, ya que esta ayuda a reducir la inflamación.

● Siempre que tengas ocasión y que el tiempo lo permita, a primera hora de la mañana camina un trecho para recibir algunos rayos solares, ya que a través de ellos sintetizas esta vitamina, que puede ayudarte a superar el episodio de dolor.

Si te ríes, toda la musculatura se relaja.

● **Desayunar en una terraza** —sobre todo si vas a estar casi toda la mañana en interior— es otra posibilidad para aprovechar los beneficios de los rayos solares unos minutos.

14 La mejor postura para sentarte, la L

Especialmente si en tu trabajo o en tu actividad cotidiana pasas mucho tiempo sentada, resulta fundamental que lo hagas correctamente. Y es que adoptar malas posturas al sentarse suele ser el origen de numerosas sobrecargas musculares que provocan incomodidad y dolor.

● **Se trata de no caer en el error** de inclinarte hacia delante o de arquear la columna, así que imagínate que entre ella y tus piernas se forma una L perfecta. La espalda debe estar bien recta y el coxis completamente apoyado en el respaldo. Deja reposar la nuca y coloca tus brazos sobre el reposabrazos.

● **Visualízate formando esa L** hasta que aprendas a corregir tus malos hábitos posturales.

15 Resérvate minutos para ser feliz

Estar alegre y con un estado de ánimo positivo hace que fabriques más hormonas antidolor. Así que trata de prever algunas actividades placenteras en tu jornada que te hagan encararla con ilusión.

● **Un estudio japonés** demostró cómo pacientes con lumbalgia dejaron de sentir dolor al visitar un parque de atracciones. Y es que divertirnos nos hace olvidar cualquier molestia, al menos durante ese rato.

● **Ríete a carcajadas.** La risa relaja la musculatura y hace que generes endorfinas, las hormonas del bienestar. Aficionarte a un programa de radio humorístico matutino puede ayudarte a empezar el día riéndote a carcajadas.

Levántate de la cama sin dolor

Tener un despertar progresivo no solo influye en tu estado de ánimo: también es clave para el bienestar de tu espalda. Cuando suene el despertador, tómate tiempo para levantarte de la cama y hazlo bien para no forzar la columna.

Es lo primero que haces tras el descanso nocturno, pero seguramente nunca te has parado a analizar cómo te levantas de la cama y en qué medida ese gesto mecánico influye en la salud de tu espalda. Es posible que lleves toda tu vida haciéndolo precipitadamen- te o de un modo poco conveniente. Por eso, te enseñamos la forma más correcta de hacerlo para que lo apliques a diario a partir de ahora, sobre todo si tienes dolor.

● **Elige un despertador** con un sonido o una melodía que te resulte agradable. Un sonido demasiado estri- dente puede provocarte un despertar brusco que haga que sufras un latiga- zo desde primera hora de la mañana.

● **Antes de levantarte,** permítete unos minutos para estirar brazos y piernas, bostezar, realizar unas cuantas respiraciones profundas... para activarte sin sobresaltos.

Paso ❶
Tumbada
de costado

La posición idónea para dormir —y para proceder a levantarte— es la fetal: de lado con rodillas y caderas flexionadas y espalda recta.

● **Partiendo de esta postura,** acércate al borde de la cama.

● **Sigue recostada** con el brazo que queda más abajo reposando flexionado y la mano del otro apoyada en el colchón.

Paso ❷
Posición sentada

Levanta la cabeza de la almohada, dirige la barbilla hacia el pecho y siéntate apoyándote sobre el codo de un brazo y la muñeca del otro. Incorpórate progresivamente y despacio.

● **Baja las piernas** hasta que los pies reposen en el suelo, apoyándote con los brazos detrás del cuerpo. Permanece unos segundos sentada.

Sabías que...

Si sufres problemas de cervicales que derivan en vértigo es especialmente importante que sigas estos pasos de forma pausada para evitar marearte o al menos minimizar esa desagradable sensación.

Las claves del ejercicio perfecto

Empezar el día realizando 10 minutos de actividad física refuerza la espalda y previene dolores. Y aunque hay deportes más adecuados que otros para que la columna no sufra, puedes practicar cualquiera tomando algunas precauciones.

Como te hemos explicado, una parte fundamental para el autocuidado de la espalda pasa por adquirir el hábito de ejercitarla habitualmente. La elasticidad y flexibilidad de esta zona son fundamentales para prevenir el dolor. Se trata de que realizar sencillos ejercicios se convierta en una rutina tan cotidiana como lavarte los dientes, vestirte, ducharte o desmaquillarte por la noche.

Y aunque te suela doler, ten en cuenta que no es verdad que los dolores de espalda requieran reposo. Solo está indicado los dos primeros días. Al tercer día tras sufrir el dolor conviene ejercitarse. Nada mejor para lograr un alivio que realizar una tabla de ejercicios suaves diez minutos al día. ¿Y qué ganas con ellos?

● **Más estabilidad.** Los ejercicios deben estar pensados para reforzar la musculatura de la espalda y sobre todo los abdominales. De este modo se endereza la columna y se consigue una postura general más armónica. También mejora la estabilidad, tal como te explicamos en la imagen de la próxima página, y aumenta la tonicidad de los glúteos y de los músculos que se insertan en la pelvis y la cadera.

Elige terrenos lisos para evitar sacudidas.

Bicicleta, sí... con precaución

● Utiliza una bicicleta que se ajuste de manera apropiada.

● No arquees el cuello echándolo hacia atrás (ni la espalda). De vez en cuando, sube y bájalo un poco de manera suave –sin dar tirones– para aflojar la zona y evitar que se tensione.

● En muchas ocasiones te resultará más fácil hacerlo en la posición reclinada hacia delante, sobre el manillar, aún más si tienes degeneración del disco vertebral lumbar.

● Es mejor que no hagas bici de montaña ni vayas por superficies irregulares donde puedas sufrir sacudidas, porque la vibración aumentará la compresión de la columna y te provocará más daño.

● Pon amortiguadores en la rueda delantera y usa guantes de ciclismo para reducir la sacudida en la parte superior del cuerpo.

¿Conoces los 4 músculos que protegen tu columna?

La columna vertebral no lograría mantenerse "erguida" si no fuese por el trabajo de los músculos que la rodean y que forman un engranaje perfecto. Mantenerlos en perfecto estado es esencial: incluso un acortamiento de los pectorales provoca que vayas cargada de hombros, lo que puede producir cambios en la postura y estabilidad de la columna. Si trabajas los siguientes músculos haciendo ejercicios específicos, las probabilidades de padecer dolor lumbar serán mucho menores.

1. Abdominales
Aunque solemos identificar los de la parte frontal (entre el pecho y el ombligo), todavía son más importantes para la columna los situados a los costados y en la parte más profunda. Estos permiten el movimiento de rotación de la columna.

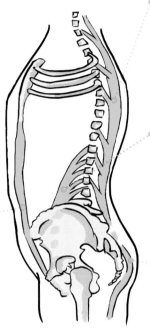

2. Paravertebrales
Recorren la parte posterior de la columna, son cortos y hacen poca fuerza pero tienen receptores que envían información al cerebro para controlar la postura. Si están rígidos, los datos que le llegan se alteran y es más fácil tener lesiones.

3. Psoas
Este músculo se extiende desde la parte anterior de la columna lumbar hasta la cadera. Si no lo estiras (por ejemplo, si pasas muchas horas sentada) se acorta, te cuesta mantenerte erguida y los músculos lumbares soportan más carga.

4. Glúteos
Van desde la parte posterior de la pelvis hasta el fémur. Si están fuertes, realizas con mayor seguridad los movimientos de extensión de la columna, de la que son un punto de apoyo firme.

● **Más movilidad.** La mayoría de personas sufre rigidez en las vértebras dorsales, lo que genera desequilibrios y dolor. El ejercicio, especialmente el yoga, les da movilidad.

● **Más equilibrio.** La falta de equilibrio provoca problemas posturales que perjudican la espalda. Los ejercicios que implican un contacto de los pies con el suelo en posición estática y movimiento ayudan.

● **Más forma física.** Las actividades físicas exigentes con los pulmones y el corazón suelen ser beneficiosas para la espalda. Cualquiera que sea el ejercicio que elijas debes procurar que la zona dorsal (el centro de tu espalda) se mantenga erguida.

POR QUÉ NO MOVERTE PUEDE AFECTARTE TANTO

Si los músculos que rodean la columna (ver imagen superior) están fuertes actúan como un colchón y así protegen todas las vértebras. Por el contrario, no ejercitarlos repercute en dolores de espalda, por varios motivos:

● **La rigidez es mayor.** En cualquier actividad cotidiana pedimos a los músculos que mantengan contracciones constantes durante mucho tiempo y, si estos no se relajan, se fatigan y aparecen las contracturas. Por eso es importante que dediques unos minutos al día a hacer algunos ejercicios que sirven para relajar diferentes grupos musculares que han permanecido en tensión mucho tiempo.

● **Los músculos se acortan** al mantener ciertas posturas. Esto sucede incluso cuando los movimientos que hacemos son correctos, y puede llevarte a no poder estirar del todo las articulaciones. Debes evitarlo moviéndote y cambiando constantemente de posición.

● **Pierdes fuerza en la zona,** que se va resintiendo cada vez más ante el mínimo esfuerzo. Muchas lesiones aparecen porque exiges a la musculatura una fuerza que en realidad no tiene. Un ejemplo de ello son los típicos tirones que aparecen por levantar un peso mayor del que tu columna puede soportar o por adoptar una mala posición al cargarlo.

EJERCITA TU MUSCULATURA SIN FORZAR LA ESPALDA

Si tus dolores de espalda son recurrentes y no eres una persona demasiado deportista, probablemente tienes dudas acerca del tipo de ejercicios o disciplina más adecuado para ti. Esta es nuestra selección:

● **Haz sentadillas.** No solo te ayudan a ganar fuerza en los glúteos sino que también facilitan que se reduzca el esfuerzo que tiene que hacer toda tu espalda durante los movimientos de extensión de la columna, evitando el sobreesfuerzo de tus vértebras paravertebrales bajas o lumbares.

● **El pilates te alivia.** Esta disciplina trabaja especialmente la musculatura que rodea la columna vertebral, con lo que fortaleces la zona y ahuyentas dolores.

● **La danza del vientre** protege tus lumbares y refuerza todo el tejido abdominal. El siguiente movimiento básico te servirá para fortalecer la zona lumbar y reforzar el abdomen: De pie, coloca la pierna izquierda por delante de la derecha, apoyando solo la punta del pie. Deja caer el peso sobre la pierna derecha. Siente los huesos de la cadera e imagina que unos hilos tiran de ellos hacia arriba. Bascula la pelvis hacia atrás, de forma que el abdomen quede contraído. Coloca las manos en la zona lumbar para notar cómo la espalda pierde su curvatura. Vuelve a la postura inicial sin llevar el trasero hacia atrás para no forzar las vértebras.

● **Usa bastones para salir a andar.** El simple hecho de llevar bastones de marcha nórdica cuando sales a caminar hace que tu espalda mantenga un eje correcto. También trabajas más hombros y espalda.

NO HAY DEPORTES "MALOS" SI VAS CON CUIDADO

Hay una serie de disciplinas que acarrean la mala fama de no ser convenientes para la espalda: squash, tenis, correr, esquí, ciclismo, golf… Pero si te encantan, no tienes por qué dejar de practicarlos. Simplemente, toma algunas precauciones.

● **Puedes correr sobre hierba.** El running (correr) está de moda, pero hacerlo en las calles de la ciudad no es lo más adecuado: esa pisada fuerte sobre el asfalto supone una continua agresión sobre tus

La natación es un deporte muy seguro.

Nadar, el que más te ayuda

● Es un magnífico deporte para quienes sufren dolor de espalda. Eso sí, conviene practicarlo bien para no provocar lesiones (aunque el riesgo es muy bajo).

● Cuando nadas no existe prácticamente ningún impacto en las estructuras espinales porque el agua sostiene el cuerpo (que en ese medio no pesa), y por tanto, amortigua los movimientos.

● Procura no mantener hiperextendida la espalda y no sacudir hacia atrás el cuello cuando saques la cabeza del agua para coger aire.

● Acostúmbrate a nadar de espalda. Así la columna está recta durante casi todo el ejercicio.

vértebras y las estructuras blandas que hay entre ellas. En cambio, si planificas tu recorrido para correr la mayor parte del tiempo sobre hierba, pista acolchada o arena, el impacto será mucho menor.

● **Esquía con calentamiento** previo siempre. Puede ser una carrera suave de 10 minutos. Y es que aunque no se produzca una caída (lo que puede ocasionar daño en las rodillas o en la parte superior del cuerpo), el esquí supone una mayor tensión para la zona baja de la espalda. Y ocurre no solo por los movimientos oscilantes que adopta el cuerpo sino también por el peso que tiene que cargar (botas y resto del equipo). Tras la sesión, toma un baño caliente para rebajar la tensión acumulada en las zonas más débiles de la columna y más propensas al dolor.

● **Para el tenis, raqueta pequeña.** En este deporte el tronco tiene que rotar en varias ocasiones y la columna vertebral se torsiona. Además obliga a hacer hiper-extensiones de columna, lo que puede acabar comprimiendo los discos lumbares.

Así que si practicas este deporte y el médico no te dice lo contrario, adelante, pero elige bien tu raqueta porque si es muy grande para ti el esfuerzo que debes hacer será mayor y también el posible daño. Antes de jugar, es básico que calientes y que estires sobre todo los músculos de las piernas y la zona lumbar. Durante el juego, recuerda doblar las rodillas y mantener los músculos abdominales tensos para reducir la presión sobre la columna vertebral.

Si corres en asfalto elige las zapatillas más adecuadas.

Correr reduciendo vibraciones

● Debes tener en cuenta que correr supone una sacudida repetitiva de la espina dorsal y eso puede hacer que aparezca –o empeore– un problema en la zona. En cada zancada, y para reducir el impacto al golpeteo del pie, los músculos de la espalda tienen que contrarrestar ese impacto y mantener el cuerpo erguido.

● No lleves la cabeza por delante del cuerpo. Trata de mantener en todo momento el eje de alineación de la columna vertebral.

● Utiliza unas zapatillas específicas de *running* de buena calidad que disminuyan al máximo el impacto y el rebote. Y reemplázalas tan pronto detectes que la suela está gastada.

● Eliminar la barriga y fortalecer los abdominales facilitará que tu columna aguante mejor el impacto de la carrera, porque esos músculos harán bien su función de sostén de la zona lumbar.

Abdominales que sí te protegen

Tonificar los músculos de la faja abdominal ayuda a proteger la columna vertebral. Pero para hacerlo, lo más seguro es realizar abdominales sin movimientos, basados en la respiración. El mejor momento para practicar este ejercicio es por la mañana.

En ocasiones, el dolor de espalda se debe a que una vértebra se ha desplazado ligeramente. Y si la barriga concentra demasiada grasa el sufrimiento de la columna es mayor. Los músculos y los ligamentos que la rodean se sobrecargan puesto que cuando la musculatura del abdomen no está fuerte sino que ha ido cediendo para albergar ese acúmulo de grasa tu postura también cede. Como consecuencia, te echas hacia delante, se produce una hiperlordosis y la columna "dibuja" demasiadas curvas. Por eso, cualquier esfuerzo supone una mayor presión para tus vértebras, que aguantarían sin dañarse si tus músculos abdominales estuvieran firmes.

Sin embargo, no todo vale para reforzar esa musculatura. Un reciente estudio norteamericano ha demostrado que muchas de las máquinas de los gimnasios cuyo objetivo es fortalecer los abdominales provocan dolor de espalda, sobre todo si implica flexionar la cadera. De hecho, los abdominales de "toda la vida", es decir, tendida en el suelo y subiendo la parte superior del cuerpo, son una agresión continua para la columna. Los siguientes abdominales son los más recomendables.

La respiración durante el ejercicio

Aprender a respirar haciendo apneas es la clave para que los siguientes ejercicios sean efectivos.

Al coger aire. Abre los brazos con una postura relajada y nota cómo se separan las escápulas.

Al soltar el aire. Abre las costillas y sube el ombligo. Vacía todo el aire y aguanta sin respirar 10 seg.

Si estás sentada, traslada todo el peso del cuerpo a la punta de los pies, sin subir los talones.

Las 3 posturas
básicas

Postura ❶

De pie con las piernas ligeramente separadas y en paralelo, a la anchura de las caderas y los brazos a la altura del pecho, suelta todo el aire. Sube los brazos y, en apnea, mete el abdomen. Mantén la postura 8 segundos e inspira de nuevo.

Postura ❷

Sentada. Repite la secuencia: primero, clava firmemente los talones en el suelo con las plantas y los dedos de los pies hacia arriba. Mantén la columna recta, pon los brazos en el centro con las palmas de las manos hacia fuera y espira. Luego, en apnea, sube los brazos y mete el abdomen. Puedes sentarte en una silla, pero aún mejor si usas un balón, porque así trabajas también el equilibrio.

Postura ❸

Tumbada sobre una esterilla con las piernas flexionadas y los talones fijos en el suelo elevando los dedos de los pies, coloca los brazos a la altura de la cadera y espira. Luego, sube los brazos a la altura del pecho, separando las escápulas y, aguantando la respiración, comprime el abdomen hacia dentro. Mantén 8 segundos.

Pisar bien alinea tus vértebras

El modo en que apoyas y repartes el peso en los pies repercute directamente en la salud de tu espalda. Te conviene revisar ese mecanismo tal como te indicamos para corregirlo, si es necesario, y así ahorrarte muchos dolores óseos y musculares.

La forma de apoyar el pie en cada paso que damos tiene una relación directa con el dolor de espalda. Dicen los expertos que si no se hace bien se altera la alineación de la pelvis y, como consecuencia, la tibia y posteriormente el fémur se ven obligados a rotar, con lo que se propicia una mala posición de todas las vértebras. Para evitar un mal mayor, el cuerpo responde con movimientos compensatorios que provocan una mayor tensión en todas las estructuras que aguantan la columna. Y eso es la antesala para que haya dolor en la zona lumbar.

● **Corregir una mala pisada** es el primer paso. Esto ocurre sobre todo con las personas que caminan girando el pie (ya sea ligeramente o de manera muy evidente) hacia dentro o hacia fuera (en el recuadro de la derecha puedes comprobar, mediante nuestro test, si esto te ocurre a ti).

Existen varias maneras de corregir esa pisada incorrecta, pero una de las más sencillas y eficaces es acudir a un podólogo y utilizar una plantilla correctora.

● **Lograr una huella correcta** es el segundo paso. Además de sobre qué lado apoyas el pie, hay otro detalle que está estrechamente relacionado con los dolores de espalda: las tres fases de la pisada. La forma y el orden correcto son estos: en primer lugar, apoya suave el talón. A continuación, toda la planta del pie. Finalmente, toca únicamente con la puntera (los dedos).

● **Un error muy común** consiste en apoyar el pie en su totalidad, sin hacer el paso previo de pisar con el talón y sin utilizar al completo los 26 huesos de que consta el pie y que permite precisamente hacer ese juego de tres fases.

EVITA MOLESTIAS DE PIES

Ten en cuenta que la presencia de callos, juanetes o durezas en el pie puede indicar que no estás apoyando bien el pie o que estás usando un mal zapato. Por eso:

● **Elige siempre una horma** cómoda evitando punteras demasiado estrechas. Para prevenir rozaduras y ampollas puedes aplicar dentro 'sprays' y 'sticks' antifricción en las zonas conflictivas como talones y dedos, que crean una película protectora.

● **Acolcha tus pisadas.** Recurre a medias plantillas y almohadillas de silicona para aliviar la presión en los distintos puntos débiles de tus pies.

Analiza cómo pisas
y de qué modo afecta a tu espalda

El estudio de tu pisada puede ser revelador. Cómo se desgasta la suela del zapato puede darte pistas sobre un mal apoyo. También puedes hacer este test casero para saber si pisas bien: colócate de pie, descalza sobre una alfombra. Fíjate bien en tus pies y trata de dibujar una línea imaginaria que divida cada planta en dos:

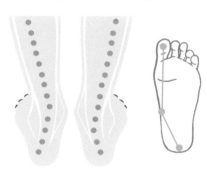

PIE PRONADOR
Cuando este tiende a irse hacia el interior, girando ligeramente hacia dentro es que tienes una pisada pronadora. En este caso las rodillas también giran, con lo que pueden llegar a rozarse, y tu columna suele sufrir más.

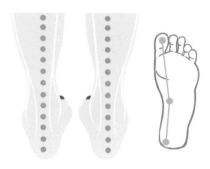

PIE NORMAL
La pisada neutra es la ideal, ya que reparte el peso por igual a lo largo de toda la planta del pie. Por tanto, al estar en buen equilibrio tienes menos probabilidades de tener dolor de espalda de forma frecuente.

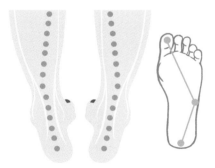

PIE SUPINADOR
Si haces fuerza hacia fuera, apoyándote hacia el lado derecho, como si inclinaras el tobillo hacia el exterior, tu pisada es supinadora. También fuerzas rodillas, caderas y espalda y, en este caso, hay más riesgo de esguince.

Así te afectan los tacones

Si los llevas muy altos y habitualmente, no solo tienes más posibilidades de sufrir llagas, callos, juanetes y dolor de pies. Su uso también puede ocasionar que adquieras malas posturas al caminar que deriven en molestias en la columna.

¿Sabías que los zapatos que usas pueden ser el origen de tus dolores de espalda? Pues así es. Al caminar, el peso del cuerpo se reparte de forma proporcional entre la parte delantera y el talón. Pero esta distribución perfecta cambia a medida que elevas el talón ya que el peso se desplaza hacia delante y en esto el zapato manda, y mucho. De hecho…

● **Con un tacón alto** de unos 10 cm casi todo tu peso recae sobre los dedos del pie, aplastándolos. Y aunque muchas veces nos cuesta resistirnos a un bonito zapato alto, debes saber que si usas con frecuencia este tipo de calzado sobrecargas las articulaciones de los dedos.

Cómo pisar
si vas con tacones

Al ir el pie elevado, al andar se acorta en exceso el músculo de la pantorrilla. Por ello, la columna puede arquearse y aumentar la presión entre los discos, lo que puede provocar desviaciones y dolor. Para evitarlo, en lugar de apoyar el talón como te hemos indicado antes, te conviene intentar repartir el peso.

✗ **Incorrecto**
No apoyes el peso sobre el talón.

✓ **Correcto**
Apoya el peso sobre la base (pie y talón).

Si decides usarlos,
hazlo de forma correcta

A la hora de calzarte, siempre es preferible primar la comodidad por encima de la estética. La buena noticia es que el calzado ideal no es totalmente plano, sino que admite un taconcito bajo. Pero si eres una incondicional de los zapatos altos, procura que sean de tacón ancho y te sujeten bien el pie pero sin oprimirlo.

CON PASO FIRME

Tu postura corporal, cómo apoyas los pies y repartes el peso tienen mucho que ver con el bienestar de tu espalda. Así que procura seguir estos consejos cuando lleves tacones:

• Avanza la pierna derecha en línea recta, sin flexionar en exceso las rodillas. Eso evita dolores futuros.

• Al apoyar el pie, no asientes el peso sobre el talón solamente, sino sobre pie y talón.

• Durante el balanceo al caminar procura que no suba y baje un solo hombro. Mantener los hombros rectos carga menos la espalda.

Los hombros rectos ejercen menos carga en la espalda.

La cadera puede hacer un movimiento más natural.

Caminar sin flexionar mucho las rodillas evita dolores futuros.

No flexiones los tobillos.

Avanza en línea recta con tu pierna derecha.

✓ 10 minutos de alivio por la mañana

Es normal que al despertar te dé pereza pensar en ejercitar tu musculatura. Por eso te proponemos unos estiramientos básicos que te ayudarán a destensar las distintas zonas de tu espalda y a activarte… ¡sin moverte de la cama!

Muchas personas se levantan con dolor de espalda. Las malas posturas durante el sueño, dormir algo agarrotada, varias horas de inmovilidad… pueden hacer que la musculatura se resienta. Si además eres de las que les cuesta un mundo dejar el lecho, es lógico que ese malestar te retenga aún más entre las sábanas. Para aliviarlo y evitar que el dolor de espalda vaya a más durante la jornada, te conviene seguir una rutina de suaves ejercicios matinales que, además, te permiten cumplir ese anhelo de quedarte unos minutitos más en la cama.

SÉ CONSTANTE

Lo ideal es que sigas esta rutina cada día, o al menos dos o tres veces por semana, para que tu cuerpo aprenda a mantener mejores posturas y tu espalda esté más fuerte y flexible.

● **Con estas propuestas** trabajarás las diferentes zonas de tu columna sin forzarla, al tiempo que pones atención en la respiración, para lograr un buen grado de relajación.

● **Si sufres alguna dolencia** de espalda, es importante que consultes con un especialista qué estiramientos te pueden ir mejor o, si es el caso, descartar los que no convengan.

3 minutos

Siente cómo se destensa tu musculatura.

Arranca con el truco de los hilos

Para iniciar cada uno de los diferentes planes de estiramientos (para la mañana, el mediodía o la noche) te proponemos empezar tumbada, en postura de relajación, es decir, boca arriba con las piernas algo separadas, los brazos a los lados del cuerpo y las palmas de las manos mirando al techo.

Por la mañana te ayudará realizar desde esta posición "el truco de los hilos". Consiste en lo siguiente: cierra los ojos e imagina que están estirándote hacia fuera con unos hilos que salen de tu cabeza, los dedos de las manos y las puntas de los pies. Debes notar cómo tus músculos se elongan, visualizando cómo se estiran como si fuesen de goma. Poco a poco tu musculatura se desengarrotará.

Puedes practicar esta técnica en otros momentos del día en los que sientas los músculos entumecidos adaptando esa misma estrategia de visualización de los hilos que tiran de ti sentada o de pie.

30 segundos

Haz como si empujaras una pared imaginaria.

Empuja
hacia delante

Siéntate en la postura del indio, con las piernas cruzadas, la espalda recta, los brazos a los lados y la mirada al frente. Eleva los brazos y estíralos en paralelo todo lo que puedas ante ti, con control.

● **Coge aire por la nariz** y, cuando exhales por la boca, alarga un poco más los brazos frente a ti, como si estuvieras empujando con fuerza una pared con las palmas de las manos. Procura mantener la espalda erguida y no echarla hacia delante.

Sabías que...

La postura que sueles adoptar dice mucho de tu estado de ánimo. Pero también a la inversa, así que si quieres que tu humor mejore trata de modificar tu posición. Si, por ejemplo, tienes algún momento de "bajón", fíjate en que probablemente has bajado los hombros. Rectifica y te sentirás mejor.

Ejercicio ②

Recupera
tu equilibrio

Junta las manos por delante del pecho (con las palmas bien estiradas). Elévalas sin despegarlas por encima de tu cabeza mientras inspiras profundamente. Mantén la espalda erguida y la mirada al frente.

● **Para "aguantar"** esta postura durante al menos un minuto, la clave es la respiración. Inspira y exhala unas cinco veces. Si te cuesta o notas molestias leves, puedes deshacerla, hacer una breve pausa y proseguir unos segundos más tarde.

● **Esta postura** te resultará muy útil no solo para estirar tu columna, sino para mejorar tu equilibrio general.

30 segundos

Si te cuesta mantener la postura, descansa e inténtalo de nuevo.

Sabías que...

Estos ejercicios son más efectivos todavía si los haces inmediatamente después de calentarte la zona dolorida (sea la lumbar, dorsal o cervical) con una manta eléctrica.

30
segundos

*Abre los brazos
hacia arriba en
forma de V.*

Crece
por arriba

Vuelve a la postura inicial, con los brazos a los lados del cuerpo. Eleva los brazos muy rectos por encima de la cabeza, formando una V. Mantén la espalda recta y el abdomen apretado.

● **Descarga tu espalda.** Coge aire y a medida que lo vayas expulsando, ve inclinando el tronco hacia abajo hasta apoyar los antebrazos en el suelo por delante del cuerpo. Después, vuelve lentamente al sentarte con los brazos en V hacia arriba y repite un par de veces.

Sabías que...

Hacer los ejercicios con los ojos cerrados una vez los hayas practicado varios días y te sientas segura, supone un fantástico trabajo complementario para ganar equilibrio. Además, te permitirán concentrarte más en lo que haces, y también ser más consciente de los cambios positivos en tu cuerpo.

Ejercicio **4**

Cervicales
sin tensión

Manteniendo la espalda firme y los hombros rectos, deja el brazo izquierdo apoyado en la cama. Coge la cabeza con la mano del otro brazo por encima de la oreja derecha y despláza- la suavemente hacia la izquier- da sin girarla, hasta notar una tensión indolora. Aguanta 15 segundos y repite con el otro brazo. Luego, vuelve a hacerlo en ambos lados una vez más.

• **A continuación, haz girar** tu cuello y cabeza lentamente de abajo arriba en ambos sentidos.

• **Estos movimientos** resul- tan especialmente aconseja- bles para aliviar la tensión acu- mulada en las cervicales y la parte superior de la espalda.

Sabías que...

Usar un sujetador de tipo deportivo, que no tiene copas pero recoge muy bien el pecho, resul- ta muy efectivo para co- rregir la alineación de la columna y mantener los hombros hacia atrás.

1 minuto

Debes sentir una tensión indolora en el cuello.

Inspira y exhala profundamente para aguantar mejor.

30 segundos

Ejercicio ⑤

Destensa
los brazos

Coloca los brazos en cruz con las palmas de las manos hacia abajo y estíralos hacia los lados, como si te estuvieran tirando de los dedos, alargándolos el máximo que puedas y manteniendo la postura 30 segundos.
● **Trabajarás tu equilibrio** y lograrás rebajar la tensión en hombros y dorsales.

Haz como si negaras con la cabeza a cámara lenta.

30 segundos

Ejercicio ⑥

Rotaciones
de cuello

Parte de la postura anterior, con los brazos en cruz. Gira la cabeza pausadamente hacia el hombro derecho y a continuación llévala hacia el izquierdo.
● **Repite el movimiento** en sentido contrario, unas 10 veces por cada lado. También puedes hacer algunos "síes" (inclinando la cabeza de delante atrás).

30 segundos

Libera tensión de los hombros con este estiramiento.

Ejercicio ⑦

Trabaja hombros y trapecios

Para acabar con esta serie de estiramientos centrados en el trabajo de las extremidades superiores, permanece sentada en la postura del indio, pasa el brazo derecho por encima de tu pecho y sujeta el codo con tu muñeca derecha unos 15 segundos. Probablemente notarás un leve crujido en la clavícula. No te asustes, simplemente se ha "deshecho un nudo" de tensión acumulada. Piensa que se trata de un movimiento que no haces casi nunca pero que proporciona mucho alivio a esa zona agarrotada.

• **Los osteópatas** suelen usar este tipo de posturas a las que el cuerpo no está habituado para encontrar puntos de tensión y acabar con ellos mediante manipulaciones.

• **Deshaz la postura** y reprodúcela cambiando de brazos, es decir, agarrando el izquierdo con la muñeca del derecho.

Sabías que...

No debes hacer rebotes ni movimientos bruscos. También has de procurar no tensar la musculatura para evitar contracturas, ya que se trata justo de aliviarlas o prevenirlas. Mantén cada estiramiento durante los segundos que te hemos recomendado en cada caso, sin llegar nunca a sentir dolor.

1 minuto

Esta postura activa el retorno venoso y aligera tus piernas.

Ejercicio 8

Piernas
arriba

Túmbate mirando hacia el techo, con las manos detrás de la nuca y elevando las piernas lo más alto que puedas, con las puntas apuntando hacia arriba. Mantén una pierna recta y apoya la otra ligeramente encima por delante, como si estuvieran entrelazadas.

● **Si te cansa mucho** esta postura o te cuesta demasiado mantener las piernas elevadas y rectas formando un ángulo de 90 grados con tu cuerpo, puedes apoyarlas en la pared.

2 **auto-masajes** que alivian

Este es el último paso del plan, el que te permitirá levantarte de la cama totalmente renovada.

1. Siéntate con la espalda recta y los pies apoyados en el suelo. Coloca las manos bien abiertas a ambos lados de la zona lumbar y frótala de arriba abajo entre 10 y 12 veces con intensidad de forma que el músculo que la recorre quede entre tu pulgar y el resto de tus dedos.

2. Desliza las manos por toda la nuca de arriba abajo, ejerciendo una ligera presión con los dedos. Haz lo mismo desde cada oreja hasta los hombros, lenta y suavemente de 10 a 12 veces.

2 minutos

Potencia el efecto de estos masajes aplicando aceite de romero.

Tu valoración:
Por la mañana...

Comprueba hasta qué punto estás cuidando la espalda a primera hora del día y apunta qué aspectos puedes mejorar en el futuro para evitar dañarla.

¿Empiezas el día
cuidando tu espalda?

Ciertos hábitos por la mañana pueden condicionar en buena parte cómo va estar tu espalda durante el resto de la jornada. Marca con una " X" los gestos matutinos protectores que ya hayas incorporado a tu vida.

- ☐ Al levantarme, camino descalza unos minutos.
- ☐ Me ducho sin echar la cabeza atrás.
- ☐ Descanso el pie en un taburete mientras me cepillo los dientes.
- ☐ Uso un sujetador que no daña mi espalda.
- ☐ Me visto y me calzo sentada en una silla.
- ☐ Incluyo fibra en el desayuno.
- ☐ Trato de abrigarme para no pasar frío.
- ☐ No lleno en exceso mi bolso.
- ☐ No fumo (o fumo menos).
- ☐ Me expongo unos minutos al sol cada día.
- ☐ Procuro evitar el estrés al volante.
- ☐ Reservo tiempo para hacer cosas que me hacen feliz.

Qué puedo mejorar:

¿Te levantas de la cama
de forma adecuada?

Repasa si das los pasos correctos para incorporarte.

- ☐ Uso un despertador poco estridente y me tomo mi tiempo para despertarme.
- ☐ Primero me tumbo de costado en posición fetal.
- ☐ Después, me levanto gradualmente, primero levantando la cabeza, hasta incorporarme.

Qué puedo mejorar:

¿Dedicas un rato
al ejercicio bien hecho?

La actividad física a primera hora de la mañana refuerza la espalda y previene dolores. Eso sí, conviene tomar precauciones. ¿Tú lo haces adecuadamente?

- ☐ Cuando voy en bicicleta, procuro no arquear el cuello echándolo hacia atrás.
- ☐ Si nado, lo hago de espalda para que la columna esté recta durante el ejercicio.
- ☐ En las ocasiones que salgo a caminar, utilizo bastones de marcha nórdica. Y si corro, lo hago sobre pavimentos blandos.
- ☐ Suelo practicar deportes especialmente beneficiosos para mi espalda como el yoga, el pilates o la danza del vientre.
- ☐ Cuando esquío, dedico unos minutos de calentamiento muscular antes de empezar.
- ☐ Si juego a tenis, utilizo una raqueta pequeña adecuada para mí.
- ☐ Realizo abdominales basados en la respiración para tonificar la faja abdominal y proteger mi columna vertebral.

Qué puedo mejorar:

¿Procuras que al caminar
las vértebras no sufran?

Fíjate en si haces todo lo que está a tu alcance para pisar de la mejor forma posible.

- ☐ He observado cómo piso para consultar con un podólogo en qué puedo mejorar.
- ☐ Al andar, apoyo el talón y a continuación toda la planta del pie. Después, termino apoyando únicamente la puntera.

- ☐ Evito los tacones, pero si los uso procuro no apoyar el peso sobre el talón al caminar: en este caso, trato de hacerlo sobre la base.
- ☐ Con zapato alto, procuro no flexionar mucho las rodillas al pisar y avanzo en línea recta.

Qué puedo mejorar:

¿Tienes 10 minutos
para desentumecerte?

Si te levantas contracturada, poner en práctica el plan de estiramientos de 10 minutos es tu mejor opción para lograr un alivio a primera hora del día.

- ☐ Cada mañana hago el "truco de los hilos".
- ☐ Antes de levantarme, me estiro en la cama.
- ☐ Termino con automasajes en las lumbares.

Notas

Necesitas desconectar
para que nada te enferme

- -

¿Cuántas veces has notado, a media mañana, que tu cuerpo ya no rinde más? Si no existe dolencia que lo justifique, la inmensa mayoría de las veces eso ocurre por el estrés acumulado, por nervios. Si no pones remedio, tu columna vertebral recogerá esa tensión y las estructuras que se encargan de protegerla se alterarán y dejarán de hacerlo. Lee atentamente este capítulo y aplícalo a tu vida.

Al mediodía, tómate un respiro

Al llegar al ecuador de tu jornada, es posible que las molestias empiecen a hacer mella en tu espalda, fruto de mantener largo rato malas posturas y acumular tensión. Es momento de hacer una pausa y aplicar nuestras estrategias de mejora.

Cuando te notes algo agarrotada, colócate en esta posición.

Si eres de las que llegas al mediodía muy contracturada, este es tu momento de atajar el problema destensando la musculatura para no llegar a la noche totalmente dolorida. Sigue estos consejos que aportan soluciones a muchas situaciones cotidianas.

1 Al cocinar, ponte a la altura

Para trabajar en la cocina con mayor comodidad, calcula que la encimera debe estar a una altura del suelo de entre 85 y 90 centímetros. Así aseguras una correcta postura y disminuyes el riesgo de dolores de espalda.

● **El mismo consejo sirve** para planchar o hacer cualquier otra tarea que requiera estar de pie.
● **Si tu encimera no cumple** con la altura recomendada, procura tener ese dato como referencia en caso de que tengas previsto reformar tu cocina próximamente.

2 Un taburete, tu más fiel aliado

Si pasas muchas horas trabajando de pie, es probable que tu espalda llegue al mediodía especialmente castigada, lo que notarás sobre todo en forma de molestias en la zona lumbar. Para evitar que el problema vaya a más a lo largo de la jornada, hazte con un taburete:

● **Si realizas alguna tarea de pie** al mediodía coloca el taburete y descansa un pie en él. Ve alternándolo con el otro, intentando mantener una pose erguida con la cabeza en alto. Así repartirás el peso, dejarás de sobrecargar la zona lumbar y notarás un alivio.

● **En la medida de lo posible,** trata de utilizar este taburete también en tu lugar de trabajo.

3 No olvides el gesto que descontractura

Tras unas horas trabajando sentada es normal que la musculatura de tu espalda se cargue. Si te notas algo agarrotada, toma nota de este gesto que te devolverá el bienestar:

● **Colócate de rodillas** y lleva el cuerpo hacia delante, estirando los brazos más allá de la cabeza.

● **Otra opción más discreta** si estás en un lugar donde no te puedes colocar en el suelo es andar un poco con la espalda recta, sacudir brazos y piernas, ponerte en cuclillas, girar suavemente el cuello de izquierda a derecha, mover los hombros...

Una encimera muy alta o baja puede cargar la espalda.

4 Ejercitar tu suelo pélvico te ayudará

Si te duele la espalda y tienes pérdidas de orina, presta atención: se sospecha que ambas cosas pueden estar relacionadas.

● **El 50% de mujeres** con incontinencia urinaria sufre este tipo de molestias. El motivo es que los músculos del suelo pélvico —que son los responsables de la incontinencia cuando no cierran bien la uretra— también están implicados en la estabilización de la zona lumbar. Por eso, si no están en forma pueden acabar doliendo las lumbares.

● **Los ejercicios de Kegel** son los más eficaces para fortalecer el suelo pélvico. Consisten en la contracción de esa musculatura para tener mayor control de la zona. Puedes hacerlos incluso sentada mientras trabajas. Los abdominales que te hemos mostrado en las páginas anteriores también te ayudarán a mantener esta musculatura fuerte.

5 No acerques la cabeza al plato

Lo ideal es que la mesa esté cerca de la silla para no tener que inclinarte hacia delante cada vez que vayas a a dar un bocado. Y debe llegarte a la altura del esternón, es decir, por debajo del pecho.

● **Al comer,** no acerques la cabeza al plato sino la cuchara o el tenedor a la boca, con la espalda recta y bien apoyada en el respaldo.

● **Ilumina bien el espacio.** Tener luz insuficiente es otra de las razones que a veces incita inclinarnos hacia delante de forma inconsciente (para ver mejor la comida que nos vamos a llevar a la boca). Esto les ocurre especialmente a las personas que tienen algún problema visual.

6 Vigila lo que comes y tu espalda lo notará

En muchísimas ocasiones, el dolor escapular (lo que normalmente se conoce como dolor de paletilla, que suele ser la izquierda) o de los trapecios (en la zona de los hombros) tiene su origen…¡en el estómago!

● **En estos casos** suele haberse producido una irritación de la mucosa gástrica (por tomar cosas muy picantes, calientes o muy grasas). Si tú has notado esa relación, procura comer más suave y más despacio.

● **Si hay algo que te sienta mal,** evítalo. ¿Y qué tiene que ver con tu espalda? Pues se sabe que las intolerancias alimenticias pueden provocar lumbalgias, porque los nervios que regulan el intestino emergen de las vértebras lumbares. También las gastritis, las úlceras y el colon irritable pueden irradiarse a la espalda.

7 Tómate una infusión para calmar el dolor

Si no quieres recurrir siempre a un analgésico o tu umbral del dolor es alto, echa mano de plantas naturales con efecto antidolor. Después de comer prepárate una infusión infalible para aliviar las molestias:

● **La raíz de harpagofito** es un analgésico y antiinflamatorio natural muy potente. Hiérvela en infusión junto con rizoma de cúrcuma y corteza de sauce y bébela un par de veces al día tras las comidas.

● **No es aconsejable** que tomes este preparado si tienes una úlcera gástrica o problemas cardiacos.

Llevar la cabeza al plato en lugar de elevar el tenedor te perjudica.

8 Al coger algo pesado, no arquees la espalda

Lo adecuado para que tu columna sufra lo menos posible es doblar las rodillas, tal como te indicamos en las siguientes páginas.

Una infusión de raíz de harpagofito alivia tu dolor.

- **Si recoges un objeto del suelo,** agáchate doblando las piernas con la espalda bien alineada.
- **Acerca el objeto a tu cuerpo,** apoyándolo en el tórax y sin extender los brazos, y estira de nuevo las piernas para subir.

9 Controla tu nivel de estrés

A estas alturas del día, si estás pasando una época de estrés, es muy posible que ya te notes muy contracturada. Y es que sin darte cuenta, tu musculatura está contraída durante horas y así un día y otro. Esa presión continua hace que todas las estructuras que rodean y sujetan las vértebras se deterioren.

- **Soportas peor el dolor.** Los nervios se activan cuando estás estresada, lo que hace que percibas con más intensidad cualquier molestia.
- **Póntelo más fácil.** Para no incrementar el estrés que ya acumulas, intenta simplificar algunas costumbres: por ejemplo, no te compliques cocinando platos elaborados, delega tareas y cancela algún plan.

Sabías que...

Solo con la precaución de mantener la espalda en la posición correcta se reduce en un 70% el riesgo de padecer lumbago. Si tendemos a encorvarnos, acumulamos tensión en la zona y acaba apareciendo el dolor. La mejor protección, por lo tanto, consiste en una buena higiene postural.

10 ¿Tu trabajo es "vibrante"?

Hay actividades que requieren el manejo de determinados transportes o maquinaria que pueden ser perjudiciales al transmitir vibraciones por todo el cuerpo y que por tanto necesitan precauciones especiales.

● **Trabajar con un martillo** neumático, por ejemplo, puede ocasionar una hernia discal. Las vibraciones también afectan a conductores de autobús y transportistas, entre otros.

● **Si te mueves en moto** constantemente (por ejemplo, si trabajas en una empresa de mensajería, repartes comida a domicilio o eres comercial), debes cuidar más tu espalda.

11 Si vas a comprar, reparte el peso

Es habitual que, de vuelta a casa, te pares en algún supermercado a comprar un par de cosas. Lo malo es que solemos salir de allí con dos bolsas repletas.

● **Sigue la regla del 10%.** Haz esas compras teniendo en cuenta que lo que cargues no sobrepase el 10% de tu peso y que lo repartas a ambos lados (en dos bolsas). Una persona de 60 kilos, por ejemplo, no debería cargar más de 6 kilos, según la Organización Mundial de la Salud.

● **Si haces una compra grande,** pide que te la lleven a domicilio o bien pasa por casa a buscar un carro. Estando vacío es más práctico que lo arrastres con dos ruedas detrás de ti, pero una vez lleno, es mucho mejor ponerlo en posición 4 ruedas y empujarlo delante tuyo para no ejercer presión sobre los hombros ni perjudicar tu cuello.

Después de comer, concéntrate en tu respiración.

12 Trata de respirar bien más a menudo

Como te hemos venido repitiendo en esta guía práctica, el estrés y la tensión son los enemigos principales de tu columna y afectan incluso a la respiración.

● **Sé consciente de ello** y tómate unos minutos al día para respirar profundamente y oxigenar bien cada vértebra.

● **Cierra los ojos** y concéntrate en cómo el aire entra lentamente por la nariz y llega a los pulmones. Poco a poco notarás mayor relajación y alivio en toda tu columna.

13 Pide hora en el fisioterapeuta

Ante un dolor agudo puntual, busca alivio con la ayuda de un fisioterapeuta acreditado.

● **La terapia de las zonas reflejas** es una técnica suave que actúa sobre

Sabías que...

Sentarte con las piernas cruzadas desalinea la pelvis y con ello toda la columna. Así que recuerda hacerlo apoyando ambos pies sobre el suelo. Además, debes dejar caer el peso sobre la base de la pelvis y no sobre el sacro (que es lo que se suele hacer) para no forzar la espalda.

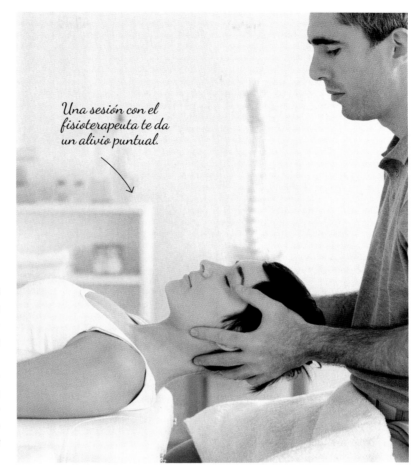

Una sesión con el fisioterapeuta te da un alivio puntual.

el sistema nervioso. Y las técnicas de tracción tratan las limitaciones de movilidad, los bloqueos y los acortamientos musculares. Infórmate bien de la que más te conviene.

● **Si este profesional** es además osteópata, puede ayudar realizando manipulaciones precisas sobre vértebras, articulaciones y tejidos blandos. Todo ello te puede venir muy bien para recuperar el equilibrio.

14 ¿Sueles sacar a pasear a tu perro?

Entonces, es muy probable que si este tira fuerte de la correa acabes con dolor dorsal y de hombros.

● **Mientras lo educas** para que no lo haga (y lo llevas a correr porque la mayoría de veces lo hacen por estrés), usa un arnés que recoja su cuerpo en lugar de una correa sujeta al cuello.

● **Y tú camina con las rodillas** ligeramente flexionadas y usando un calzado cómodo con suela de goma. Con estos consejos lograrás que tu columna no reciba tanto impacto.

15 El rencor afecta a tu espalda

Has leído bien: algunas investigaciones científicas apuntan a que nuestras emociones (entre ellas el rencor), y pensamientos pueden influir directamente en la tensión muscular y nuestras señales de dolor.

● **Un estudio sobre 58 personas** con dolor crónico de espalda realizado por investigadores del Centro Médico de la Universidad de Duke (EE. UU.) concluyó que aquellos que perdonaban sentían menos ira, resentimiento, depresión y dolores.

● **El dolor en la nuca** sin un origen claro parece estar relacionado con los rencores, según una investigación llevada a cabo en Finlandia, que relacionaba partes del cuerpo doloridas con distintas emociones.

Revisa cómo colocas tu cuerpo

Seguramente eres la primera en reconocer tu tendencia a determinadas malas posturas, pero sientes que no puedes evitarlo. La única manera de vencer esa inercia es repasar qué deberías cambiar e insistir una y otra vez para lograrlo.

Trabajar muchas horas sentada afecta a tu espalda.

Uno de los grandes causantes del dolor de espalda acostumbra a ser la adopción de malas posturas. Muchas horas con una posición fija en el trabajo, sea sentada en una silla o de pie junto a un mostrador, además de la larga suma de todas nuestras actividades cotidianas, acaban pasando factura. Y es que el desequilibrio corporal lleva a utilizar el cuerpo de manera incorrecta y a provocar lesiones porque todos los músculos están conectados y, cuando uno se desestabiliza, tensa o contractura, provoca que el resto de músculos, tendones y fascias que forman la cadena a la que pertenece aquel músculo se reubiquen a través de desequilibrios y tensiones para contrarrestar el dolor. ¿Y cómo puede afectar eso a la espalda?

• **Lo más común es que sufran** las cervicales. Ocurre especialmente en personas que realizan tareas que

Trata de ser más consciente de tus posturas habituales.

¿Te fijas lo suficiente?

Lo más importante es que tomes conciencia del cómo está tu cuerpo cuando adoptas determinadas posturas. Darte cuenta será el punto de partida para corregir el problema (en las próximas páginas te explicamos cómo) y que el cuerpo funcione de una manera armónica.

Observa bien cómo te "colocas". Durante unos días fíjate al detalle de qué forma sueles colocar tu cuerpo al realizar acciones cotidianas. Puede ayudarte anotarlo para ver en qué situaciones lo haces mal.

Identifica tus errores. Te ayudamos a que seas consciente de esos "vicios" posturales (en los que quizá nunca hayas reparado) para que puedas rectificar y adoptar posturas más respetuosas con la columna. Si sigues estas recomendaciones durante un tiempo tu cuerpo irá "recolocándose" de forma natural.

sobrecargan esta zona, desde oficinistas que atienden al teléfono y están horas frente a una pantalla de ordenador, o personal que trabaja en ventanillas atendiendo al público, hasta mujeres que pasan, por ejemplo, mucho tiempo cosiendo en casa. Y es que la columna cervical consta de siete vértebras que forman un suave arco que contribuye a mantener el equilibrio de la cabeza, pero si se pierde ese equilibrio suele aparecer el dolor de cuello. Este puede ir acompañado de falta de movilidad, cefaleas, contracturas, mareos, vértigo e incluso molestias que se irradian hasta los brazos y hormigueo en las manos.

Así que si desempeñas un trabajo manual muy repetitivo, como teclear, coser, manipular alimentos o estar en una cadena de montaje, es muy importante que cuides la postura que adoptas para disminuir el riesgo de contractura. Además, cada media hora haz una pequeña pausa para desentumecer cuello y hombros.

● **La zona lumbar se resiente** también. Es una de las más vulnerables de nuestro cuerpo. Y es que la parte baja de la espalda está sometida constantemente a esfuerzos y malas posturas. Si a ello se suma una baja forma física (la vida sedentaria y la falta de ejercicio debilitan la musculatura lumbar), no es de

extrañar el panorama que dibujan los médicos al afirmar que el 80% de la población sufrirá lumbalgia en algún momento de su vida. Si te afecta, es fundamental fortalecer los abdominales como te indicamos en las páginas 28 y 29.

● **La parte central de la columna** es una de las grandes olvidadas cuando hablamos de dolor de espalda. Sin embargo, se "sobrecarga" con facilidad ya que, al estar unida a las costillas, tiene poca movilidad (de hecho su función es proteger órganos vitales) por lo que conviene extremar los cuidados. Si es tu debilidad, también es esencial que evites posturas que sobrecarguen la zona.

Corrige tu "postura de espera"

Mientras haces cola, cuando estás en la parada del bus, al hablar con alguien... son muchos los momentos del día que estás parada de pie y tiendes a "encogerte". Te ayudamos a rectificar ese mal hábito que puede provocar dolor de espalda.

Obsérvate en el espejo estando quieta de pie: ¿encorvas la espalda, flexionas el cuello, relajas los hombros hacia delante y sacas barriga? Te darás cuenta de que esta postura, además de poco favorecedora, puede ser el origen de tu tensión cervical.

• **Fíjate en la fotografía** de esta página para ver qué falla y márcate el objetivo de "recolocarte" como en la imagen de la siguiente página.

Detecta
tus fallos

Cuando la zona lumbar está muy metida hacia dentro se da una desviación de la columna. **Para compensarlo,** la zona superior de la espalda retrocede, mientras que los hombros rotan hacia delante y las cervicales y la cabeza se inclinan también, lo que lleva la mirada hacia el suelo. Esta posición, muy común, provoca un bloqueo en las articulaciones de las rodillas, que se hiperextienden hacia atrás. También implica un mal apoyo de las plantas de los pies, que perjudica al equilibrio del cuerpo.

Modifica
y mejora

El primer paso para corregir una mala postura es tomar conciencia de que efectivamente nuestro cuerpo se ha acomodado a ella indebidamente y de qué modo nos afectan las tensiones y descompensaciones que esta provoca.

El siguiente paso es lograr una buena alineación. Para ello debes sentir literalmente la cabeza sobre los hombros y dirigir la mirada al frente, no al suelo. La línea que marcan cabeza y hombros baja perpendicularmente a través de la pelvis, la cadera y las rodillas.

Trata de enderezarte. Si aprietas un poco el abdomen y llevas ligeramente el pecho hacia arriba te resultará más fácil. Es importante que apoyes bien los pies en el suelo, repartas el peso entre ambas piernas y notes cómo la tripa se aplana.

Con el cuerpo así alineado respira unas diez veces para tomar conciencia de la postura y de sus beneficios. Es fundamental que te mentalices de que esa debería ser tu postura base y no dejar que la incorrecta siga imponiéndose.

Test rápido

Para saber qué haces mal. Cuando estés de pie hazte estas tres preguntas para darte cuenta de si tu postura es la adecuada.

☐ **¿Mi pelvis está en línea con la espalda?**
Si tiendes a echar la pelvis hacia delante o hacia atrás, sobrecargas la musculatura lumbar y pueden aparecer molestias.

☐ **¿Mis hombros están rectos?**
El error más habitual en esta postura consiste en dejar los hombros hacia delante, lo que fuerza la zona dorsal de la espalda.

☐ **¿Estoy mirando al frente?**
Si mantienes la espalda recta pero desplazas un poco la cabeza hacia delante es posible que tus cervicales se resientan.

La mejor forma de sentarte

Cuando estás sentada las piernas dejan de soportar el peso corporal, pero buena parte de este recae entonces sobre la columna vertebral. De hecho, la carga que aguanta el disco intervertebral aumenta si la postura es incorrecta.

Al sentarte, recuerda que la espalda y la cabeza deben estar en la misma "buena" postura que al caminar: bien rectas. También es importante que el peso de tu cuerpo esté repartido equilibradamente entre las dos nalgas. No te inclines hacia delante ni mantengas el cuello flexionado. Para ayudarte, imagina que un hilo sale de tu coronilla y alguien lo estira hacia el techo.

● **Otro truco para lograr** la postura correcta consiste en sentarte en el borde del asiento y doblarte totalmente hacia delante. Después incorpórate y acentúa la curva de la espalda lo máximo posible. Aguanta unos segundos y relaja un poco la posición (unos 10°).

● **Si necesitas girarte** para hablar con alguien o alcanzar algún objeto detrás de ti sin levantarte de la silla, no lo hagas solo con el cuello sino con todo el cuerpo a la vez (tronco, caderas, piernas y pies juntos). Piensa que los giros parciales de cuello repetidos tensan la zona cervical.

● **Para levantarte,** apóyate en el reposabrazos, el borde de la silla o en tus muslos y rodillas. Luego, adelanta ligeramente un pie, desplaza el peso de tu cuerpo adelante e impúlsate hacia arriba.

Al sentarte recta repartes mejor el peso corporal.

En la oficina presta especial atención

El trabajo de escritorio durante muchas horas de forma diaria suele comportar numerosos inconvenientes para la espalda. Así que toma nota de algunas precauciones básicas que debes recordar respecto a tu mesa, tu silla y tu postura cada vez que te sientes a trabajar.

Elige bien tu silla de trabajo. Lo más recomendable es que sea anatómica, no muy mullida y con una pequeña curva en las lumbares. Así la espalda adoptará la misma postura que cuando estás de pie, respetando sus curvaturas naturales. Evita las sillas muy bajas o que no tengan respaldo y escógela con respaldo y reposabrazos regulables en altura.
Lo ideal es que estés cerca de la mesa para no tener que inclinarte hacia delante. Para que tus lumbares no se resientan, la columna debe estar firmemente apoyada contra el respaldo del asiento. Así pues, evita sentarte en el borde y cruzar piernas o pies: los glúteos deben estar en la parte posterior del asiento y debes apoyar la mitad inferior de la espalda en el respaldo. Para que no quede ningún hueco, puedes colocar un cojín o una toalla enrollada en la parte inferior de la espalda.
Mantén las piernas en ángulo recto respecto al tronco. Así el cuerpo no tira hacia adelante y no se curva la zona dorsal. Debe haber suficiente espacio para que las piernas entren por debajo de la mesa. Utiliza un reposapiés.
Si trabajas frente al ordenador, ajustar la distancia y la altura de la pantalla de acuerdo con tu campo de visión te ayudará a no sobrecargar el cuello. En general, la

Monitor a nivel de los ojos
45-75 cm
min 20°
110°
72-75 cm
38-55 cm
Reposapiés

pantalla debe estar a 45 cm de distancia, de frente y a la altura de los ojos. Pero si el monitor tiene más de 15 pulgadas, la distancia entre la pantalla y los ojos debe superar los 55 cm.
Ten el ratón próximo para evitar estirar el brazo. Para moverlo sin proyectar el hombro hacia delante –lo que provoca molestias en las dorsales– aprieta las escápulas para mantenerlas en su sitio y mantén el brazo apoyado en el borde de la mesa.
No te desplomes sobre el asiento: déjate caer suavemente con la espalda recta pero no rígida.

Y ten en cuenta…
Si pasas muchas horas en una silla levántate al menos cada media hora para estirar piernas y brazos, girar suavemente el cuello de delante atrás y de izquierda a derecha y mover los hombros. Si permaneces varias horas de pie sin apenas moverte, intenta no apoyar el peso del cuerpo siempre en la misma pierna y dejar hombros relajados y cabeza y tórax erguidos.

Posturas en casa
que ayudan a alejar lesiones

Lumbares, cervicales, hombros... suelen "sufrir" por culpa de las malas posturas que se adoptan al realizar tareas tan habituales como planchar, limpiar los cristales o cargar una caja. Pero hay formas de evitar que eso pase.

Plancha
sin cargar
tus hombros

La clave para que al planchar no sobrecargues tus hombros está en la altura (la tabla debe estar unos 15 centímetros más baja que tu cintura) y en tu postura:

● **Protege tus lumbares.** Colócate con los pies algo separados y bascula la pelvis hacia delante, como si estuvieses sentada en un taburete alto imaginario.

● **Relaja tus hombros.** Asegúrate de que están bajos y en una posición relajada. Los brazos deben estar abiertos (alineados con los hombros) y doblados hacia el centro.

La tabla debe estar unos 15 centímetros más baja que tu cintura.

Levanta un peso
sin quedarte "clavada"

A menudo al levantar una caja, el cesto de la ropa, un tiesto para limpiar debajo... es cuando "maltratamos" nuestra espalda. Es importante hacerlo bien:

● **Mantén la estabilidad.** Separa las piernas (a la anchura de las caderas) y asienta los pies en el suelo. Las rodillas deben estar algo flexionadas y la pelvis basculada, con el coxis hacia delante.

● **Alinea tu espalda.** Las vértebras deben estar en línea con la cabeza. Mantén la nuca estirada, como si un hilo imaginario tirara de la coronilla hacia arriba, y los hombros bajos y en posición relajada.

● **Separa los pies** y flexiona las rodillas para coger el objeto (si pesa, agárralo por debajo). Levántate haciendo fuerza con las piernas en lugar de hacer el esfuerzo desde la espalda, ya que forzarías la zona lumbar.

● **Acerca el peso** al cuerpo, apoyándolo en el abdomen, y camina con seguridad, sintiendo que las plantas de los pies están en contacto con el suelo. Si flexionas ligeramente las rodillas, te será más fácil mantener la espalda recta.

Procura acercar el peso al cuerpo apoyándolo en el abdomen, con la espalda recta y las rodillas ligeramente flexionadas.

Limpia los cristales
sin forzar la espalda

● **Colócate bien.** Asienta los pies en el suelo y separa las piernas. Nota cómo desciende tu peso hacia las piernas para poder mover bien todo el torso.

● **Realiza círculos.** Con el cuerpo alineado pero flexible, abre los brazos y deja espacio bajo las axilas. Haz movimientos circulares y siente cómo se estiran los costados y la zona escapular.

● **Mira siempre al frente.** Para alcanzar la parte alta de la ventana puedes utilizar una escalera. Además, evita inclinar la cabeza hacia atrás para no provocar pinzamientos en la zona cervical.

Si quitas el polvo
en un sitio alto

● **No te estires.** Recurre siempre a una escalera y busca la mayor estabilidad posible. Evita ponerte de puntillas y no realices un estiramiento excesivo para no forzar la musculatura.

● **Mantén el equilibrio.** Antes de hacer cualquier movimiento, asegúrate de que puedes mover los brazos cómodamente sin perder el equilibrio. Si notas inestabilidad, no lo hagas.

Separa las piernas, flexiona las rodillas y sube y baja con la espalda y la cabeza alineadas.

Vigila al llenar el lavavajillas

Un error común al llenar (y también al vaciar) el lavaplatos es inclinar en exceso la espalda para acceder a la bandeja inferior:

● **Debes doblar las piernas.** Desciende y levántate desde las piernas: flexiona las rodillas y agáchate, manteniendo la espalda y la cabeza bien alineadas.

● **O utiliza una cesta** para meter los cubiertos y no tener que agacharte tantas veces, tal como te hemos contado anteriormente.

Aspira el suelo
de forma segura

En ese caso, lo primero que debes hacer es asegurarte de que el tubo de la aspiradora que usas es suficientemente largo (normalmente se puede ajustar) para evitar inclinar la parte superior del cuerpo al realizar ese movimiento:

● **Colócate de frente** a la zona que vas a aspirar y evita los giros de cintura, que pueden forzar la columna vertebral.

● **Mantente erguida.** Debes tener las rodillas flexionadas y moverte sintiendo que la fuerza sale del centro de tu cuerpo (del ombligo) y no del pecho.

● **No estires los brazos.** Al mover el aspirador desplaza todo el cuerpo, no solo los brazos. Además, si los separas un poco de los costados mejorarás su movilidad.

Haz la cama
sin tener que doblarte

● **Colócate frente a la cama** con las rodillas apoyadas en esta y así no tendrás que agacharte tanto. Otra opción para colocar bien las sábanas en las esquinas es arrodillarte en el suelo o sobre un cojín.

● **Evita inclinarte hacia delante** con la espalda doblada y flexiona las piernas procurando que la zona lumbar esté lo más recta posible. Para llegar al centro de la cama, apóyate en ella con la ayuda de un brazo.

Para desplazar
algo que cargas

Además de coger el peso de forma correcta es esencial mantener la postura si lo que quieres es desplazar esa carga:

● **Acerca el peso al cuerpo** apoyándolo en el abdomen y mantén la espalda recta. Camina con seguridad, sintiendo que las plantas de los pies están en contacto con el suelo.

● **Controla tu respiración.** Desplázate relajada y tranquila, llevando el aire y la atención a la zona del ombligo. El abdomen debe estar relajado. Es preferible que hagas varios desplazamientos a cargar con un peso excesivo una sola vez.

Trata de no arquear la espalda durante el desplazamiento.

✓ **10 minutos de alivio** al mediodía

Las obligaciones diarias o las preocupaciones pueden abrumar tanto que nos olvidemos de nuestra sufrida columna vertebral. Resérvate unos minutos al mediodía para que esa tensión no se acumule a medida que pasan las horas.

El dolor de espalda que se presenta a partir del mediodía suele estar relacionado con las tensiones musculares asociadas con el estrés y los nervios. Las primeras horas de la mañana pueden resultar frenéticas y al llegar al mediodía ya estamos "desbordados", lo que aumenta la tensión y el dolor. Regalarte 10 minutos para destensar esa musculatura es favorecer que se presente el alivio que necesitas y evitar llegar a la noche con un dolor insoportable.

VUELVE A VIVIR SIN DOLOR

En las páginas siguientes te mostramos los estiramientos que, en este momento del día, más te pueden ayudar. Están pensados para que "sientas" y relajes cada uno de los grupos musculares que pueden acabar asumiendo "tus cargas" y doliendo cada mediodía.

● **Porque vivir en tensión** nos lleva a no sentir el cuerpo y, solo cuando duele, tener consciencia de él.

● **Cualquier cosa que te preocupe** puede acabar transformándose en dolor. Por eso, tan importante como reservarte esos diez minutos es aprender a relativizar. Dale a cada cosa la importancia justa que tiene y no más. Tu salud va en ello.

3 minutos

La respiración abdominal libera tensiones.

Primero, respira así

Respirar bien no solo nos permite alejar el estrés sino también el dolor de espalda. Ten en cuenta que si el diafragma está en baja forma (con movimientos limitados) la respiración se debilita, la columna vertebral tiende a encorvarse y la musculatura de la espalda se tensa.

Túmbate boca arriba, en posición de relajación, con una almohada bajo la cabeza o una esterilla que cubra todo tu cuerpo. Deja los brazos relajados al lado del cuerpo.

Coge aire suavemente por la nariz a la vez que hinchas la barriga y sácalo poco a poco por la boca con los labios algo cerrados. Al principio puedes colocar una almohada también bajo las lumbares.

Lo importante es que realices esta respiración durante unos tres minutos, para que te dé suficiente tiempo de desconectar y oxigenar bien cada vértebra de tu columna. Siempre que sea posible, hazlo al aire libre, en un entorno natural.

3 minutos

Aprende a identificar en qué puntos te duele más.

"Palpa"
tus tensiones

El segundo paso de este plan de 10 minutos para el mediodía consiste en tomar conciencia del cuerpo. Es muy normal, sobre todo si hace tiempo que soportas dolores de espalda continuos, que tu mente no perciba las tensiones que va recibiendo cada una de las vértebras. Ocurre, sencillamente, porque se ha acostumbrado al dolor. Para evitarlo y comenzar a superarlo tienes que volver a percibir de manera consciente esas tensiones. Para ello y durante 3 minutos:

Siéntate y no pienses en nada durante 45 segundos. Solo en lo bien que te sientes. Para estar más cómoda, puedes descansar tu espalda sobre la pared o sobre unos cojines, pero manteniéndola recta aunque sin forzarla. Descansa los hombros y los brazos a cada lado del cuerpo.

Luego, enumera en voz alta dónde estás notando tensión. Comienza por tu cráneo, tu cuello, tus hombros... Haz un recorrido mental por todo el cuerpo hasta llegar a los pies. El simple hecho de verbalizar qué estás notando te ayudará a que los estiramientos de las páginas siguientes sean todavía más eficaces.

30 segundos

Mantén cada movimiento 30 segundos.

Ejercicio ①

El arco
que destensa

Siéntate en un taburete o una silla con los pies bien apoyados en el suelo y la mirada al frente. Tu cadera debería estar colocada ligeramente por encima de la altura de las rodillas y la espalda recta pero respetando su curvatura natural.

● **Levanta la cabeza** (proyectándola un poco hacia el cielo) para que se estire la zona cervical. Adelanta el pecho, sin dejar de apoyar tus manos en las piernas, para que tu columna dibuje un ligero arco.

Sabías que...

Descalzarte es otro remedio antidolor. La revista americana "Journal of Environmental and Public Health" ha demostrado que caminar descalzo por superficies naturales (hierba, madera, arena...) favorece que el organismo libere sustancias antioxidantes y se reduzca la inflamación y el dolor.

Ejercicio ②

Abre bien
las vértebras

Partiendo del estiramiento anterior, deja caer el torso lentamente. Es importante que no lo hagas rápido para que tu espalda no sufra ningún tirón.

● **Tirando levemente** de la base superior del cráneo (el punto más alto de tu cuerpo) ve dibujando mentalmente una "c" e intenta visualizar cómo cada vértebra de tu columna se arquea sin problemas.

● **Una vez** que tu columna esté flexionada por completo, deja caer los brazos a ambos lados del cuerpo. La punta de tu nariz debe "mirar" al suelo, no introduzcas la cabeza entre los hombros porque estarías forzando en exceso la postura.

Sabías que...

Si en el momento de mantener la posición sientes el peso en la punta de los dedos, te será más fácil mantenerla durante los 30 segundos que necesita tu musculatura para relajarse.

30 segundos

No introduzcas la cabeza entre los hombros.

30 segundos

Alza los brazos sin forzar el movimiento.

Expande
tu caja torácica

Vuelve a la posición inicial (sentada con la espalda recta). Lleva tu mirada hacia arriba y después eleva la cabeza. Estira la columna cervical y finalmente eleva los brazos.

● **Coge aire** de forma pausada pero profunda al mismo tiempo que vas elevando la cabeza y estirando los brazos. Puedes hacer el estiramiento en dos versiones (elige la que prefieras): aguantas la posición 6 segundos, bajas cabeza y brazos y vuelves a subirlos (hasta completar los 30 segundos) o sube una única vez manteniendo la posición hasta completar el tiempo señalado.

Sabías que...

Esta postura te ayuda a corregir y contrarrestar el daño de uno de los movimientos que más hacemos durante el día: la hiperextensión de brazos (normalmente para coger un objeto elevado).

Ejercicio ④

Pulgares
en la nuca

Este movimiento puedes realizarlo en cualquier momento y lugar y hacerlo dos o tres veces a lo largo del día, te ayudará a no acumular esas tensiones que dan lugar a un dolor generalizado al acabar el día.

● **Coloca ambos dedos** pulgares tal y como ves en la imagen. En primer lugar, presiona con ellos en el área sobre la que se apoyan. Hazlo durante diez segundos. En los veinte siguientes haz pequeños movimientos circulares con todos los dedos.

Sabías que...

En ocasiones, un dolor de lumbares tiene su origen mucho más arriba, en las cervicales. Para evitar el dolor inicial adoptamos —muchas veces de manera inconsciente— malas posturas y movimientos inadecuados. El resultado es que al final del día duele también la zona baja de la espalda.

30 *segundos*

Deja tres cm de separación entre un pulgar y otro.

30 segundos

Para obtener beneficios, no alces el hombro.

Ejercicio **5**

Estiramiento
en diagonal

Si realizar las posturas anteriores es importante, ese detalle resulta fundamental con el movimiento que te mostramos en esta página porque, haciéndolo bien, la sensación de alivio es casi inmediata.

● **Coloca tu antebrazo derecho** tras la espalda (no lo sitúes a una altura demasiado elevada; mejor que esté en el coxis). No alces el hombro porque entonces crearías tensión. Deja caer la oreja del lado contrario hacia el hombro de ese lado, como si mirases a la rodilla.

Sabías que…

Puedes hacer este estiramiento en cualquier lugar donde te encuentres si lo necesitas. Al trabajar diferentes grupos musculares (se dibuja una diagonal imaginaria entre la cabeza y el brazo, relajando todas las estructuras blandas de "ese camino"), la sensación de alivio es muy pronunciada.

30 segundos

Recuerda colocar tu mano bajo la cintura.

Ejercicio ⑥

Haz un estiramiento isquiotibial

Tumbada boca arriba sobre una esterilla y con un cojín bajo tu nuca para no arquear las cervicales, estira ambas piernas. Coge aire y sube una de ellas hasta que la rodilla esté totalmente perpendicular al suelo. Coge esa rodilla con la mano contraria.

● **Para no arquear la espalda,** sitúa la otra mano bajo tu cintura, como si recogieras las vértebras lumbares. Mantén la mirada hacia arriba (no bajes la barbilla) e imagina que las vértebras bajas de la columna se abren ligeramente y de esta manera se oxigenan.

● **No hagas rebotes** con la pierna flexionada. El objetivo de esta posición es estirar el músculo isquiotibial porque cuando los músculos están flexibles se reduce el riesgo de lesión. Mantén la posición unos 15 segundos con esa pierna y, pasado ese tiempo, hazlo con la otra.

Sabías que...

Los músculos isquiotibiales se van acortando por las malas posturas (cuando caminamos echadas hacia delante) pero también si se tiene una hernia discal. Aunque esta posición es recomendable para este último caso, háblalo con tu médico para que te dé las indicaciones idóneas sobre el ejercicio.

30 segundos

Apoya bien los hombros en el suelo.

Ejercicio **7**

Flexibiliza cuádriceps y gemelos

Sigue en la posición anterior, pero esta vez flexiona las dos piernas y descansa los pies en el suelo. Coloca las manos en el abdomen.

● **Eleva una pierna en recto,** por lo general se recomienda unos 45 grados pero hazlo hasta donde te sea posible (no debes sentir dolor en ningún momento, solo una ligera tensión fruto del estiramiento) notando cómo la fuerza recae en los dedos del pie, que debe formar una "L" con el tobillo. Respira profundo pero con normalidad sin retener el aire (cógelo por la nariz y expúlsalo por la boca) y sin inflar el abdomen.

● **Este movimiento** mejora el tono muscular de la zona lumbar y pelviana, lo que previene dolores en la zona baja de la espalda. Y también alivia el área si ya existe una ligera sensación de dolor (el inicio del lumbago o ciática).

Sabías que...

Así logras también reducir abdomen. Ya sabes que si tu zona abdominal está flácida y abultada, la espalda sufre más porque tú te inclinas hacia delante al caminar (o hacia atrás en un intento de contrarrestar el peso) y porque los músculos de esa zona no son capaces de "recoger" y proteger las vértebras.

30
segundos

*Protege tus
rodillas al hacer
el estiramiento.*

Sabías que...

Las personas que tienen una ligera escoliosis −dorsal o lumbar− pueden beneficiarse mucho de este estiramiento. Si la columna está desviada hacia la derecha, tienen que incidir más en levantar y mantener el gesto con la pierna izquierda. Y a la inversa. No bajes demasiado la barbilla y mantén la línea recta.

Ejercicio ⑧

Alarga tu cuerpo en línea recta

Ponte a gatas sobre una toalla o una colchoneta y procura que tu espalda esté recta (para poder observar y rectificar la posición puede ser de gran ayuda realizar el ejercicio frente a un espejo).

● **Eleva el brazo izquierdo** y la pierna derecha como puedes ver en la foto, manteniendo en todo momento la posición de la espalda (sin arquearla en exceso porque entonces el ejercicio no te ali-

viaría sino que perjudicaría tus vértebras). Inspira y espira con normalidad.

● **Permanece en esta posición** 15 segundos y cambia de lado. Ten en cuenta que debes repartir el peso de tu cuerpo entre las rodillas y las manos mientras mantienes el abdomen apretado y la espalda firme. Quizá los dos primeros intentos cuesten pero, poco a poco, irás ganando estabilidad.

Tu valoración:
Al mediodía...

¿Le regalas a tu espalda los mimos que necesita al llegar al ecuador del día? Repasa este resumen de los buenos hábitos que te protegen a esta hora.

¿Sabes frenar la contractura
que ya sientes a mitad del día?

A mediodía, es posible que las molestias ya sean notables en la espalda. Algunos sencillos consejos sirven para evitar que el dolor vaya a más. Marca con una "X" los gestos que ya has adoptado.

- ☐ Al cocinar, la encimera me queda a una altura de 85-90 centímetros del suelo.
- ☐ Utilizo un taburete para apoyar un pie cuando paso muchas horas de pie.
- ☐ Cuando como, trato de acercar el tenedor a la boca, y no la cabeza al plato.
- ☐ Evito los alimentos que me suelen provocar malestar gástrico.
- ☐ Después de comer me tomo una infusión antidolor de raíz de harpagofito.
- ☐ Cuando voy a comprar, mis bolsas nunca pesan más del 10% de mi peso.
- ☐ Si saco a pasear al perro, le coloco un arnés adecuado para que no dé tirones.
- ☐ Dedico minutos a ejercitar mi suelo pélvico.

Qué puedo mejorar:

¿Al hacer las tareas en casa
proteges bien tu columna?

Esta estructura ósea sufre por culpa de las malas posturas al hacer las tareas. ¿Has reparado en este punto?

- ☐ He mejorado mi postura al planchar, limpiar los cristales, hacer la cama, aspirar el suelo y llenar el lavavajillas.
- ☐ Conozco la forma correcta de cargar un peso, desplazarlo y acceder a los sitios altos.

Qué puedo mejorar:

¿Prestas atención
a cómo colocas tu cuerpo?

Muchas horas en la misma postura pueden pasar factura a la espalda. ¿Tomas conciencia de tu cuerpo?

☐ Al adoptar una postura, me fijo en la posición que adopto y especialmente en cómo está colocada mi columna vertebral.

☐ Procuro no estar en la misma posición durante mucho rato para no sobrecargar cervicales, lumbares ni dorsales.

Qué puedo mejorar:

- -

- -

¿Has corregido ya
tu "postura de espera"?

Es habitual pasar tiempo de pie sin realizar movimientos. En esa postura, si no estás bien colocada, tu columna puede sufrir mucho. Revisa si lo haces bien:

☐ Mi cabeza está alineada sobre mis hombros y mi barbilla mira al frente.

☐ La línea que marcan cabeza y hombros baja perpendicularmente a través de pelvis, cadera y rodilla.

Qué puedo mejorar:

- -

- -

¿Te sientas correctamente?

Comprueba si lo haces de forma adecuada, puesto que eso evita multitud de molestias y contracturas.

☐ Al adoptar esta postura, mi cabeza está en línea con la columna y no inclino el cuerpo.

☐ Tengo en cuenta los consejos que mejoran mi postura cuando me siento en la oficina.

☐ Procuro que el ordenador, la mesa, la silla y el ratón estén colocados en buena posición.

Qué puedo mejorar:

- -

- -

¿Tienes 10 minutos
para lograr un alivio?

Si al llegar al mediodía percibes síntomas de dolor, este plan de estiramientos puede darte alivio:

☐ Dedico 3 minutos a respirar profundamente para eliminar el estrés.

☐ Hago un ejercicio para notar dónde se acumulan mis tensiones en ese momento.

☐ Estiro la musculatura que siento agarrotada.

Notas

- -

- -

- -

- -

- -

- -

Recompensa a tu espalda
al final de cada jornada

¡Cuánto nos cuesta cuidarnos! Unas veces porque erramos al priorizar (la salud sí es prioritaria y no lo recordamos) y otras porque vamos aplazando el momento de hacerlo, nuestro cuerpo puede no recibir los mimos que merece. Queremos que pongas remedio a eso y que tu columna vertebral tenga, al final del día, la recompensa que requiere. Aplica estos consejos y podrás dormir sin dolor.

Por la noche libérate de tensiones

Al terminar el día, para muchas personas que sufren molestias de espalda, su prioridad es descansar, pero a menudo el dolor y la tensión lo dificultan, agravando el problema. Te indicamos cómo prepararte para alcanzar un buen reposo nocturno.

Apoya bien los pies en el suelo al sentarte en el sofá.

Algunos gestos cotidianos que sueles hacer al volver a casa, y que en principio parecen inofensivos, pueden llegar a empeorar tus molestias de espalda. Si los identificas, trata de evitarlos y en cambio, incorpora otros hábitos que te harán sentir mejor.

1 ¿Tienes costumbre de dejarte caer en el sofá?

A menudo, cuando llegamos agotadas a casa, solo pensamos en "tirarnos" en el sofá. Pero cuidado con tomártelo al pie de la letra, porque...
● **Si la espalda no está alineada,** las cervicales y las lumbares sufren.

Así que siéntate cómodamente pero no de cualquier manera.
● **Lo ideal es que tu sofá** permita sentarte apoyando bien la espalda en el respaldo y los pies en el suelo sin forzar las rodillas. Si el tuyo no es así, ayúdate de cojines para corregir la postura.

2 El "truco del pulgar" para eliminar nudos

Si al terminar el día pasas la mano y sientes las contracturas musculares como nudos evidentes al tacto, puedes intentar disminuir el malestar.

● **Presiona con el pulgar** sobre el punto contracturado durante más de un minuto. Llegará un momento en que sentirás como si el nudo se deshiciera.

● **Si no logras acceder** a ese epicentro del dolor, pide ayuda a alguien para que presione en ese punto inaccesible para ti.

3 Pídele a alguien que te dé un masaje

La última hora de la tarde suele ser un momento de reunión familiar. Si puedes, pídele a alguien que te dé un masaje que te permita "soltar" los músculos y eliminar la tensión. Indícale cómo hacerlo para no empeorar el problema:

● **Relaja las cervicales.** Inclina el cuerpo hacia delante y apoya la frente sobre una almohada. Pídele a tu "masajista casero" que se sitúe detrás y masajee el cuello en su totalidad. Debe hacer un movimiento como si estuviera amasando algo, pero de forma suave y sin provocar ningún tipo de dolor en la zona.

● **Afloja las lumbares.** Estírate boca abajo con una almohada bajo el vientre, los brazos colocados a ambos lados del cuerpo y la cabeza ladeada. La persona que te dé el masaje no debe apretar los dedos, sino más bien deslizarlos sobre la

Aprieta con los pulgares sobre los puntos de dolor.

piel y los músculos y moverlos en todas las direcciones.

4 Asegúrate de leer sin contracturarte

La tarde-noche es propicia para leer algo para relajarte y desconectar. Pero ten cuidado de no inclinarte demasiado cuando lo haces.

● **Recupera el atril.** Si es posible consigue un atril graduable para no tener que aguantar el peso de lo que lees (un libro, el diario, una revista...). Si lees en una tableta, también te ayudará usar fundas de tablet que se puedan poner como atril. De lo contrario, podrías sobrecargar hombros y cervicales.

● **Si necesitas gafas para leer,** no las olvides. El dolor cervical puede deberse a la costumbre de leer proyectando el cuello hacia delante. Y es más habitual adoptar esa postura cuando se necesitan gafas correctoras pero no se usan. Eso hace que fuerces la postura, alargues el cuello y la cabeza no quede alineada con el tronco.

5 Revisa cómo utilizas tu smartphone

Solemos revisar el móvil entre 30 y 40 veces al día y eso, si no se hace bien, puede provocar dolor cervical.

● **La mayoría de nosotros** inclinamos la cabeza unos 60° para mirar el móvil y eso supone un sobreesfuerzo para tus cervicales, ya que es como si tuvieran que soportar 27 kilos y se acaban dañando.

● **Sostener el teléfono** entre la cabeza y el hombro te perjudica sobre todo si hablas mucho rato. Siempre es preferible coger el aparato con la mano o la aplicación "manos libres".

6 Si te agachas o te caes, levántate bien

Para hacerlo sin cargar la espalda da la vuelta de forma lenta hasta que quedes totalmente boca abajo.

● **A continuación,** colócate a cuatro patas procurando apoyar las dos manos con firmeza en el suelo.

● **Para acabar,** mantén esta postura y avanza hasta encontrar un objeto (mesa, sofá...) en el que poder apoyarte firmemente con ambas manos. Incorpórate con seguridad, impulsándote con una pierna.

7 No escondas (sin querer) el pecho

Muchas mujeres que tienen los senos grandes tienden (a menudo de forma inconsciente) a encorvarse hacia abajo, bien por ocultarlos o simplemente porque "dejan caer" el peso hacia delante. Y esa tendencia al final del día acentúa la sensación de espalda cargada.

● **Tu espalda estaría** mucho más relajada si echaras los hombros hacia atrás, sacaras pecho y encogieras ligeramente el abdomen.

● **Rectifica esa postura** poco a poco. Es posible que hayas mantenido la tendencia a ocultar tu pecho desde la adolescencia y necesitarás asimilar el cambio paulatinamente.

No sujetes el teléfono entre la cabeza y el hombro.

8 Si no te duele nada, haz la prueba del espejo

A veces, los problemas de cervicales no dan síntomas. Descubrirlos cuanto antes es fundamental para evitar que vayan a más o se conviertan en un dolor difícil de solucionar. Aunque llegues a última hora del día sin sentir dolor, puedes estar contracturada y que tus vértebras requieran "mimos". Averigua con estas pruebas si tu cuello está bien equilibrado o no.

Gira la cabeza lentamente de derecha a izquierda.

● **Sitúate ante un espejo.** Pega en él un trozo de esparadrapo, trazando una línea recta vertical. Tú debes estar frente a ella y tu cabeza debería quedar también recta (tomando como referencia el esparadrapo). Si tu cuello se inclina ligeramente, puede haber alguna anomalía.

● **Gira la cabeza lentamente** hacia derecha e izquierda. Si con la barbilla no tocas los hombros (sin levantarlos), si puedes girar más hacia un lado que hacia el otro, hay dolor o crujidos, puedes tener un desequilibrio y/o bloqueo vertebral.

9 Un gesto protector cuando vas al baño

Tal vez ni se te había ocurrido, pero incluso tu posición al coger el papel higiénico puede afectar a tu espalda.

● **Idealmente, el rollo** debería estar a la altura de tu cintura y solo tendrías que alargar un poco el brazo para cogerlo. Pero que no esté "bien" colocado te obliga a doblar la cintura o arquear la espalda para cogerlo.

● **Si no puedes cambiarlo** de sitio, corta lo que necesites antes de sentarte o mantén la espalda recta y los abdominales firmes al inclinarte.

Sabías que...

Tener una pierna más larga que la otra (al menos 2 cm) puede hacer que la pelvis se incline y generar dolor en las lumbares (además de en cadera, tobillos...). Para comprobarlo, mira en el espejo si una rodilla está más baja. En la mayoría de los casos se alivia con una plantilla correctora.

10 Antes de acostarte, pies en la pared

Pon en práctica este truco para "alisar" tu espalda: échate en el suelo o en la cama, lo más cerca que puedas de la pared y pega tu coxis (tus glúteos) en ella. A continuación, sube las piernas y descánsalas en la pared.

● **Mantén esta postura** pero sin tensionar los músculos en ningún momento, centrándote en la eficaz sujeción que hace la pared del final de tu espalda.

● **Aguanta todo el tiempo** que desees si te encuentras a gusto y relajada. Si te resulta más fácil, puedes estirar los brazos en cruz a ambos lados del cuerpo.

11 Si toses por la noche, remédialo

Toser de forma repetitiva puede presionar las vértebras dorsales. Cada vez que lo haces con fuerza realizas una presión externa sobre los discos situados entre las vértebras de la columna vertebral.

● **Si estás resfriada,** cortar una cebolla por la mitad y ponerla en la mesilla de noche puede ayudarte, ya que emana sustancias con efecto calmante.

● **Si sufres tos crónica,** es importante que acudas al médico para que trate de averiguar qué la causa y le ponga remedio, pues podría ser el origen de tu dolor de espalda.

12 No te lleves la tecnología a la cama

A estas alturas del día, seguramente tus cervicales ya sufren las consecuencias de que los móviles y tablets estén tan presentes en nuestras vidas. Al menos, trata de no revisar estos dispositivos tumbada o con ellos en el regazo: estas son las posturas más perjudiciales para la espalda y el cuello, puesto que la tensión de los músculos del cuello es entre 3 y 5 veces mayor, según un estudio realizado por la Universidad Estatal de Washington.

● **Para corregirlo,** túmbate boca arriba y coloca un cojín bajo las rodillas para relajar la musculatura de la espalda.

● **Puedes tener la cabeza** elevada con la ayuda de almohadas, sin inclinar demasiado el cuello y con los codos apoyados en la cama.

13 Al dormirte, pon tu lengua en el paladar

La mala oclusión de la mandíbula es una de las posibles causas del dolor cervical, porque esa mordida, además de tensar la musculatura cervical, puede provocar que la persona duerma con la cabeza inclinada.

Esta postura te ayuda a alinear tu columna.

Cuanto más ligero es el edredón, menos sufre la espalda.

● **Colocar la punta de la lengua** justo detrás de los dientes, donde empieza el paladar es un truco que ayuda a soltar la mandíbula cuando está demasiado tensa. Compagínalo con la respiración: cierra la boca, inhala por la nariz y cuenta hasta 4. Aguanta la respiración 7 segundos y suelta el aire durante 8.

● **Si te suele pasar,** hazlo antes de dormir para relajar la mandíbula. Y si necesitas una férula de descarga, no olvides usarla cada noche para evitar que tu espalda se resienta.

14 Escoge edredones que no pesen

En invierno es preferible un edredón a muchas mantas, ya que resulta más saludable descansar sin soportar pesos adicionales.

● **Si eres friolera,** cúbrete con un edredón tipo nórdico algo menos ligero pero con el que te sientas bien abrigada, porque si percibes frío te encogerás y la musculatura de tu espalda lo acusará negativamente.

● **Si prefieres una manta,** opta por una de lana de oveja merina, que retiene muy bien el calor que la piel produce y evapora la humedad.

15 Intenta dormir en posición fetal

Es la postura más anatómica (rodillas y caderas flexionadas y espalda recta, sin agachar la cabeza) y que proporciona mayor descanso a toda tu espalda, tal como te mostramos en las próximas páginas.

● **Evita colocarte boca abajo** porque la columna queda en sobreextensión y los músculos en una posición acortada. Además, el cuello y la cabeza rotan hacia un lado.

● **Dormir boca arriba** con un cojín grande bajo la cara posterior de las rodillas es adecuado si tienes tendencia a sufrir lumbago, porque el peso recae sobre la columna.

La cama ideal para ganar confort

Dormir bien por las noches es imprescindible para que tu espalda y todo tu cuerpo se recuperen del esfuerzo que llevan a cabo durante el día. Lograr ese óptimo descanso pasa por sentirte a gusto en tu cama y encontrar la buena postura.

Elige la almohada adecuada en función de tu postura al dormir.

Pasamos buena parte de nuestra vida en la cama. De sus características depende que nos levantemos relajadas y en buena forma o, por el contrario, rígidas y doloridas. Por eso, dedicamos las siguientes páginas a darte las claves para que escojas todos los elementos necesarios que faciliten un descanso más reparador, así como las posturas que más te convienen para dormir.

LA ALMOHADA, A LA ALTURA ADECUADA PARA CADA CASO

Muchos dolores cervicales son fruto de una mala elección de almohada. Se debe optar por un modelo que no obligue al cuello a adoptar una postura forzada. Si duermes boca arriba, lo mejor es una almohada fina de unos 12-13 centímetros de grosor, si lo haces apoyada en un hombro, una gruesa (de unos 15 cms), y si cambias de posición frecuentemente,

El somier
también cuenta

Toda la responsabilidad del descanso no recae en el colchón. Otro elemento fundamental es el somier. El de muelles ya ha desaparecido prácticamente del mercado –deformaba los colchones y no era el más indicado para la espalda– y ha sido sustituido por los somieres de listones de fibra de vidrio, carbono o madera.

Además del material, otros aspectos a considerar son la cantidad de lamas, su flexibilidad, su grosor y su anchura. Cuanto más gruesas y anchas sean, mayor será la firmeza. El haya es la madera más recomendable por su flexibilidad y resistencia, pero también se recurre al roble, el chopo o el pino. El somier puede ser de rollo (las láminas se apoyan en la estructura de la cama y ceden al peso de la persona que duerme) o de armazón (las lamas van unidas con cápsulas basculantes, que les permiten pivotar vertical y horizontalmente, en función de la presión que soportan).

una de gran flexibilidad. La viscoelástica es adecuada para personas con dolores de espalda. Varía su forma según la presión y la temperatura del usuario. Las de plumas y plumón no son muy firmes, por lo que son más adecuadas para las personas que duermen boca abajo, en cuyo caso el cojín no debería superar los 10 centímetros de grosor.

ELIGE EL COLCHÓN CON "LA PRUEBA DE LA MANO"

El colchón ideal tiene una dureza media. Un error común es combi-nar un canapé de tabla con un colchón de látex, y es demasiado duro. En la tienda, prueba todas las posturas en las que duermes. Para saber si respeta la curvatura natural de la columna, túmbate y pasa una mano entre las lumbares y el colchón. Si pasa sin problemas, es muy rígido, si no lo hace, demasiado blando. El viscoelástico alivia el dolor de espalda porque se adapta a la forma del cuerpo, reduce la presión y da confort. Antes de comprar un nuevo colchón —conviene renovarlo cada 10 años— analiza los siguientes puntos:

- **Firmeza:** debe ser lo bastante rígido como para que la espalda reciba apoyo y las vértebras se mantengan alineadas cuando te acuestes boca arriba, y ha de ser cómodo. Cuanto más elevado sea el peso corporal, más firmeza será necesaria.
- **Elasticidad:** lo ideal es que ceda a la presión de las partes sobresalientes y más pesadas del cuerpo (como los hombros y la pelvis).
- **Tamaño:** la longitud debe ser entre 10 y 20 centímetros mayor que la de la persona que lo vaya a utilizar, y el grosor, de 15 cm como mínimo.

En qué postura descansas importa mucho

Te detallamos cómo puede afectar a tu cuerpo (y a tu sueño) el hecho de elegir una postura u otra al dormir y te descubrimos la más idónea para descansar realmente bien.

LEÑO LADEADO

No es la postura ideal ni la más recomendable para dormir.

Así la columna vertebral está forzada y no hay un buen equilibrio de fuerzas entre la parte anterior del cuerpo y la posterior. Esto hace que los músculos de nuestro tronco, tanto de la espalda como los abdominales, tengan un cierto grado de tensión que no facilita un descanso reparador y puede provocar a medio plazo contracturas y acortamientos musculares a esos niveles.

Las articulaciones de los hombros, caderas y rodillas tampoco están relajadas en esta postura, ni las que quedan abajo ni las de arriba.

MELANCÓLICA

Tampoco es ideal para lograr un buen descanso nocturno.

Tiene los inconvenientes de la postura del leño ladeado pero añadiendo la posición incorrecta y forzada de la columna cervical y dorsal y de los hombros. Los músculos cervicales y dorsales están en tensión y tarde o temprano reaccionarán acortándose y contracturándose, provocando dolor.

Los hombros tampoco están relajados ni a nivel muscular ni articular pudiendo desencadenar problemas en las partes blandas de dichas articulaciones, sobre todo del hombro, que queda arriba con un mal apoyo.

SOLDADO

Descártala si quieres cuidar tu espalda.

Aquí la que sufre es la columna vertebral, sobre todo a nivel dorsal y lumbar. Las vértebras que la forman no están en buena posición y, para protegerlas, nuestros músculos deben contraerse y tensarse, provocando acortamientos y contracturas musculares a nivel dorsal y lumbar bajo que se traducen en dolor y limitación a la movilidad.

Si sueles dormir así, un pequeño cambio positivo consistiría en colocar una almohada debajo de las rodillas para disminuir la tensión en la zona lumbar baja.

EN CAÍDA LIBRE

No ayuda en absoluto a mantener tu cuerpo en forma.

Puede tener efectos negativos, tanto en dorsales como en lumbares. En la columna los músculos que cubren esa zona están acortados provocando a medio plazo contracturas en esa zona y dolor.

Los hombros están en una mala posición, haciendo que el tendón supraespinoso pueda quedar algo "pinzado", acarreando problemas. Puede mejorar si doblas la rodilla y el brazo de un solo lado del cuerpo y estiras los del otro lado.

ESTRELLA DE MAR

Casi todos los segmentos del cuerpo quedan en posiciones incorrectas.

Afecta a la espalda desde la zona cervical pasando por la dorsal e incluyendo la lumbar: todos los músculos que la tapizan están en tensión, lo que provocará acortamientos y contracturas tarde o temprano, con dolores.

En las cervicales se pueden sumar dos movimientos que resultan bastante negativos como son la extensión y la rotación y que deberían evitarse para prevenir problemas.

POSICIÓN FETAL

Es la ideal: acostada sobre un lado de tu cuerpo y con las rodillas y los brazos flexionados.

La columna y los músculos que la tapizan tanto a nivel cervical como dorsal y lumbar quedan relajados. Además, esta postura te permite respirar bien y con normalidad.

Las otras articulaciones implicadas como son los hombros, las caderas y las rodillas también están en posiciones correctas y no forzadas. (Un pequeño complemento es colocarse una almohada entre las rodillas).

Postura recomendada

Sabías que...

Es preferible dormir a tus anchas. Las camas grandes son mejores que las estrechas porque permiten adoptar posturas más relajadas y una mayor movilidad. En caso de que duermas con tu pareja, para ganar confort es interesante montar dos somieres separados que se adapten al peso y los movimientos de cada durmiente.

Qué hacer ante una crisis de dolor

Ante un ataque agudo de lumbago o una cervicalgia, sobre todo si te deja "clavada", lo habitual es alarmarse y acudir al médico. Esta decisión resulta acertada, pero si no te visita inmediatamente, te explicamos qué deberías hacer mientras tanto.

E s probable que especialmente al terminar el día sientas dolor intenso en la espalda (puesto que las tensiones se han podido ir acumulando a lo largo de toda la jornada), pero quizá en alguna ocasión esta molestia sea especialmente intensa y percibas que te has quedado "clavada". En este caso, además de consultar al médico cuanto antes, debes tener en cuenta algunas "reglas" para no empeorar el problema.

DETECTA CUÁNDO SE TRATA DE UNA URGENCIA

Si el dolor se produce por un sobre esfuerzo o una mala postura y no hay ninguna patología que la provoque suele remitir al cabo de unos días. Y si el origen es el estrés y la tensión deberás atajar la causa para acabar con las molestias.

● **Pero debes acudir inmediatamente al médico** si el dolor es agudo y aparece de repente, se extiende por todo el brazo o la pierna, va acompañado de pérdida de fuerza, impide que te puedas mover y te provoca dificultades para orinar o fiebre. Una lumbalgia que dura más de un mes con un dolor continuado y que te despierta por la noche debe ser valorada por un especialista.

A los dos días, te conviene retomar la actividad.

No te excedas con el reposo

Si has sufrido un ataque agudo e intenso de dolor, haz reposo relativo durante un par de días. Pasadas esas 48 horas ya no conviene la inactividad; ve poco a poco recuperando tu rutina habitual, pero sin realizar grandes esfuerzos. Y es que recientes estudios médicos han comprobado que el reposo continuado tras esos dos días puede acabar provocando que el dolor se vuelva crónico, ya que al estar quieta se debilitan los músculos. En concreto, se calcula que una persona en cama pierde entre un 10 y un 20% de la movilidad por semana, además de masa ósea y muscular. Así que, si notas dolor sé cauta y no fuerces la máquina, pero intenta mantenerte activa y realizar una actividad física muy suave y progresiva.

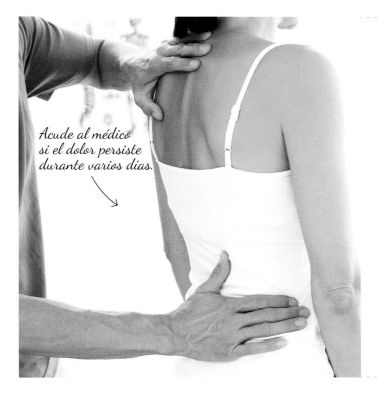

Acude al médico si el dolor persiste durante varios días.

No lo dejes pasar y tampoco te obsesiones

Si has acudido al médico porque tu espalda te da problemas y él no te ha hecho ninguna prueba, que no te sorprenda la situación: las últimas guías médicas insisten en que la mayoría de veces ni siquiera una resonancia sirve para determinar la causa del dolor. Pero será de gran ayuda que le des información para determinar su origen: **Además de ser sincera** con él acerca de tus hábitos de vida, piensa si hiciste un giro inadecuado o cogiste mucho peso en algún momento antes de sufrir la crisis de dolor. **También explícale,** si es el caso, que estás viviendo un periodo estresante o que sufriste un accidente en el pasado. Las consecuencias –sobre todo si no se hizo una correcta rehabilitación y una fisioterapia idónea– pueden perdurar varios años.

NO TOMES UN RELAJANTE MUSCULAR A LA LIGERA

Por su nombre, podrías pensar que actúan destensando el músculo contraído, pero en realidad inciden sobre los nervios que controlan los músculos. Eso significa que:

● **Afectan directamente a tu sistema nervioso,** provocando una relajación general (no solo del tejido muscular contracturado).

● **Pueden causar síntomas neurológicos como sedación, mareos,** somnolencia, vómitos e incluso afectaciones más llamativas, como descoordinación de los brazos, confusión, pérdida de reflejos, visión borrosa… Por ello, son adecuados solo en determinadas circunstancias y es el médico el que siempre debe recetarlos.

¿ANALGÉSICO O ANTIINFLAMATORIO?

Es cierto que, para prevenir el dolor de cervicales, dorsales o lumbares no hay nada mejor que la actividad física y una correcta higiene postural. Pero ¿qué deberías hacer cuando aparece una crisis de dolor? En esta fase puedes recurrir a fármacos, aunque siempre consultando previamente al médico.

● **El analgésico** actúa disminuyendo o suprimiendo el dolor. Solo hay que tomarlo cuando las molestias son intensas, si no tu organismo acaba acostumbrándose y no te hará el efecto deseado cuando lo necesites.

● **Los antiinflamatorios** no esteroideos (el más común es el ibuprofeno) frenan la producción de prostaglandinas ligadas al dolor. Se recetan para aliviar la cervicalgia o el lumbago, pero pueden ocasionar problemas gastrointestinales. Seguramente el médico te recomiende que tomes un protector de estómago como prevención.

● **Ten en cuenta que tu mejor opción es siempre** procurarte un alivio sin recurrir a un fármaco. En las próximas páginas te explicamos con todo detalle cómo lograrlo.

Aplica un poco de frío o de calor

Ambos pueden calmar, pero debes saber cuándo resulta más conveniente optar por uno u otro: así, en las primeras horas de aparición del dolor, es preferible recurrir a la crioterapia, mientras que, si se alarga, la termoterapia funciona mejor.

Incorpora aceites esenciales para potenciar la terapia.

Antes de acostarte quizá requieras un alivio rápido del dolor que te permita conciliar el sueño. El frío y el calor aplicados en una zona con dolor calman. Pero cuando recurras a esta terapia en casa, debes saber cuándo es adecuado aplicar uno u otro.

Si el dolor es reciente, aplica frío (este tratamiento se conoce como crioterapia). En las primeras 48 horas desde que ha aparecido debes poner hielo en la zona donde más dolor sientas. Lograrás un doble efecto: que los vasos sanguíneos se cierren y que descienda la temperatura local. Al reducir el aporte sanguíneo disminuyen también los agentes que producen la inflamación, y esto actúa aliviando progresivamente el dolor.

● **Cómo usar el frío.** Aplícate una almohadilla fría (cold-pack) que contiene un gel que se enfría previamente en el congelador y baja la temperatura local de la zona eficazmente. También se comercializan bolsas de agua helada con el mismo efecto. El enfriamiento se consigue en unos 15 minutos y perdura un par de horas. También puedes usar un cubito de hielo y masajear la zona.

● **Debes saber:** Está contraindicado en alérgicos al frío, problemas vasculares, diabetes, enfermedades cardiovasculares graves y enfermedades renales y viscerales.

SI TE DUELE HACE DÍAS: OPTA POR EL CALOR

La termoterapia se basa en que el calor dilata los vasos sanguíneos y facilita la circulación, aliviando el dolor. También contribuye a una recuperación de la movilidad muscular y articular. Es adecuado para calmar inflamaciones producidas días atrás y mejorar la rigidez muscular, porque logra aumentar la elasticidad del tejido. Se utiliza a una temperatura de entre 34 y 36 grados.

● **Cómo usar el calor:** Las esterillas proporcionan un calor seco que, al ser retirado, deja de tener efecto. Para los problemas de espalda es más recomendable que apliques un calor húmedo. Utiliza una bolsa de agua o un paño caliente y cuando notes que se comienza a enfriar retíralo. Después, tapa la zona con una toalla para retener el calor.

● **Debes saber:** No es recomendable en caso de cardiopatía, apendicitis, inflamaciones agudas del aparato locomotor y en personas que tomen anticoagulantes.

Tanto si aplicas calor como frío, que no sea directo en la piel.

Precauciones para tu piel

Hace siglos que se utiliza el frío y el calor para mitigar el dolor, aunque no siempre han existido productos diseñados para este fin. Por ello, muchas veces se han utilizado enseres caseros. Trapos calientes, ollas con vapor o hielos envueltos en trapos han servido a lo largo de la historia para atender a estas necesidades. Sin embargo, si recurres en casa al frío o al calor con fines terapéuticos, debes tener en cuenta algunos consejos:

Nunca apliques calor sobre la piel a más de 58 grados, que es el límite de sensibilidad cutánea. En cuanto al hielo, tampoco debes ponerlo directamente sobre la piel. Envuélvelo en una toalla o trapo para evitar el contacto directo, que puede "quemar" la piel por el efecto abrasante del frío. Y no te excedas en el tiempo: si notas falta de sensibilidad en la zona quita el hielo inmediatamente.

Logra alivio al instante

Al llegar las últimas horas de la jornada, los niveles de cansancio y tensión acumulada pueden desembocar en un dolor persistente. Para calmarlo y que no vaya a más, te detallamos algunas estrategias "caseras" que dan buen resultado.

Hay pequeños gestos al final del día que pueden ayudarte a aliviar el dolor acumulado en la espalda y a recuperar tu bienestar.

● **Hazte una "bola".** Túmbate boca arriba, encoge las rodillas sobre el pecho y "abrázalas". Permanece así unos segundos, con la espalda pegada al suelo. Luego lleva las rodillas ligeramente hacia la derecha, vuelve al centro y sigue a la izquierda. Repite tres veces por cada lado.

● **Un truco antidolor de emergencia.** Pon una toalla cerca de una pared y túmbate de modo que puedas apoyar los pies en ella y te queden las rodillas formando un ángulo recto. Descansar unos minutos en esta posición te ayudará a descargar las tensiones lumbares. Mientras estés haciendo el ejercicio, respira normalmente y vigila la postura: no despegues en ningún momento la espalda de la toalla.

● **Distrae tu mente para "bloquear" el dolor.** La teoría de la puerta de entrada sugiere que si la médula espinal recibe varias señales a la vez debe seleccionar una para que pase al cerebro. Por eso, si sientes dolor y envías otra señal al cerebro puedes llegar a "eclipsarlo". Por ejemplo, intenta acordarte de situaciones

La hidroterapia relaja y alivia el dolor de espalda.

Un baño caliente... ¡con azufre!

La inmersión en agua caliente es uno de los métodos no farmacológicos más efectivos de alivio del dolor, y se utiliza como relajante y analgésico de forma habitual en muchas patologías (hidroterapia). **Con azufre.** Tiempo atrás no faltaba en ningún balneario y, hoy en día, este tratamiento calmante se está recuperando en muchos de ellos. Puedes hacerlo en casa: compra en algún herbolario de confianza polvo de azufre y añade 100 g al agua de la bañera. Sumérgete y deja que el agua caliente y el mineral actúen.

Hay melodías que te ayudan a sentir menos dolor.

Ponte música
parar frenar el dolor

Varios estudios han llegado a la conclusión de que las personas que sufren algún tipo de dolor se encuentran mejor cuando escuchan una melodía relajante o cualquier estilo de música que les haga sentir bien.

La música rompe las rigideces emocionales de los pacientes, cuyas tensiones contribuyen a que el dolor resulte más difícil de soportar o pueden ser a veces hasta su propia causa. La ventaja frente a la psicoterapia, que también puede ser útil contra el dolor, es que no intenta abrirse camino hacia el subconsciente a través de las palabras.

Los musicoterapeutas aseguran que un tratamiento de tres meses puede reducir a la mitad la dosis de analgésicos. Y matizan que la música no es un sustituto de estos, sino más bien un potenciador de su efecto.

que te han hecho sentir bien o piensa en personas que te transmitan buenos sentimientos. Otra opción es estar muy activa: salir a pasear, jugar a cartas, ir al cine... eso hace que tu médula espinal tenga más trabajo para interceptar las señales de dolor.

● **Háblate a ti misma de manera positiva.** Los mensajes que te envías determinan en gran parte lo que haces y cómo te enfrentas a la vida. Es lo que los psicólogos llaman "autodiscurso". Así que, si por ejemplo llegas a casa y piensas "hoy no saldré a caminar porque me duele la espalda", seguramente

no lo harás. Pero si lo miras desde una perspectiva positiva y te dices "no tengo ganas de hacer ejercicio, pero sé que dedicarle unos minutos me ayudará a aliviar mi dolor", posiblemente salgas. Recuerda que los mensajes negativos agravan las molestias (te cuidas menos, solo piensas en lo mal que te sientes...), mientras que la positividad te distancia del malestar.

● **Procúrate un sueño reparador.** El propio dolor de espalda dificulta la conciliación del sueño o provoca despertares a lo largo de la noche. Este es un círculo vicioso que debes romper porque si no descansas bien

estarás agotada durante el día y acusarás más las molestias.

Así que haz todo lo que esté en tu mano para facilitar el sueño: acuéstate cada día a la misma hora; cena ligero e incluye alimentos ricos en triptófano como el plátano o la lechuga (de efecto relajante), infusiones sedantes y una ración de hidratos para que el hambre no te despierte de madrugada; evita estímulos excitantes antes de acostarte (trabajar con el ordenador, ver la televisión, usar el teléfono móvil o la tableta...); descansa en un buen colchón y procura que en la habitación no se oigan ruidos.

Remedios naturales antidolor

Son un recurso complementario para plantarle cara a tu malestar. Echa mano de aceites esenciales y plantas medicinales y aplícalas en la zona afectada mediante un masaje o cataplasma, o bien opta por una reconfortante infusión.

Las plantas pueden contribuir a rebajar las molestias.

La fitoterapia puede ser una excelente ayuda adicional para vencer un episodio de dolor, con la ventaja de que rara vez ocasiona efectos secundarios. Te presentamos los extractos de plantas que más te ayudan a aliviar tus problemas de espalda, y la mejor forma de usarlos.

UN MASAJE CON ACEITE DE JENGIBRE

Se trata de un antiinflamatorio natural que actúa de una forma parecida a un AINE. Es relajante, antiinflamatorio y analgésico. Para preparar este remedio, mezcla 5 gotas de aceite esencial con 10 de aceite de almen-dras dulces y aplícalo en la zona dolorida con un masaje suave.

RECURRE A LA "ASPIRINA NATURAL"

La corteza de sauce blanco contiene compuestos como el ácido salicílico, precursor de la aspirina.

La puedes tomar en decocción pero si te resulta más fácil, en los herbolarios lo puedes conseguir en tintura, extracto líquido o bien en cápsulas.

REMEDIOS CASEROS PARA UNA CONTRACTURA

● **Aceite de hierba de san Juan.** Se prepara con 50 g de las flores y hojas pequeñas troceadas de hierba de san Juan (hipérico). Se introduce en un envase de 250 ml de cristal, y se termina de llenar con aceite de almendras. Se deja reposar en un armario protegido del calor y la luz, durante 20 días. Pasado este tiempo cuélalo y aplícalo en la zona dolorida.

● **Loción de plantas.** Pon en un envase de cristal de 500 mililitros 40 g de romero, 25 g de menta, 25 g de melisa y 250 mililitros de orujo o aguardiente, tápalo y déjalo macerar 20 o 30 días en un lugar seco y protegido de la luz. Fíltralo en otro envase y aplícalo 1 o 2 veces al día en las zonas afectadas, con un ligero masaje. No lo hagas en pieles sensibles, irritadas, o dañadas.

● **Cataplasma de arcilla roja.** Prepáralo en un cuenco con arcilla roja en polvo añadiendo y removiendo poco a poco agua (dependiendo del caso fría o caliente) hasta conseguir una pasta espesa y homogénea. Aplica directamente en la piel, con un grosor de ½ a 1 cm. Puedes cubrir con un trapo o gasa para que pueda transpirar y dejar actuar durante 30 a 60 minutos. Aplícalo de 1 a 2 veces al día, entre 2 y 5 días seguidos. Es mejor no hacerla si hay heridas o daños en la piel.

Algunas infusiones de hierbas ayudan a mitigar el dolor.

Toma una infusión analgésica

De saúco. No hay mejor analgésico natural que la corteza de saúco. Puedes tomar hasta 3 tazas al día de la decocción, preferiblemente en asociación con otras hierbas que potencian su acción y mejoran el sabor, como milenrama, menta, viburno y cola de caballo. No abuses de esta planta, ya que puede afectar a tu estómago.

De enebro. También posee una potente acción calmante y además es desintoxicante. Sus falsos frutos (gálbulos) se toman en infusión: lo recomendable son tres tazas al día, con coronilla de fraile, hojas de fresno, viburno e hinojo.

De valeriana. Una infusión de esta planta te ayudará a eliminar el estado de ansiedad que muchas veces incrementa la sensación de dolor. Además, te puede ser útil si tienes problemas para conciliar el sueño o duermes mal (a menudo el origen del problema).

Por qué masajear tus pies

Masajear los pies al final del día es una de las opciones a tu alcance más sencillas y eficientes para serenarte y liberar tensiones musculares, lo que ayuda a aliviar tu dolor de espalda y te prepara para disfrutar de un sueño totalmente reparador.

Como ya te hemos explicado a lo largo de esta guía, la salud de los pies y de tu espalda están íntimamente ligadas. Al final del día (tras una larga jornada laboral, de ir de arriba abajo, de estrés acumulado) darte un automasaje en los pies te ayudará no solo a mejorar la salud de la base del cuerpo que permite la buena postura global, sino también a deshacerte de las tensiones que empeoran tus contracturas en la espalda. Además, en invierno, unos pies fríos pueden hacer que el cuerpo permanezca a baja temperatura y eso empeora la rigidez en la zona lumbar. El automasaje contribuye a

Trabajo con pelota

Deja caer el peso del cuerpo sobre el pie que pisa la pelota (debe ser pequeña y dura, tipo tenis) e incide con movimientos lentos sobre las zonas doloridas.
Alterna el recorrido de la pelotita por cada una de las plantas de tus pies descalzos durante un par de minutos. También puedes hacerlo sentada.

Puedes hacer este ejercicio de pie o también sentada.

Resérvate un tiempo para mimar tus pies como se merecen.

calentarlos. Una vez termines con esta rutina, te darás cuenta de que además de sentir alivio local, te librarás de parte del estrés y los nervios acumulados.

● **Empieza con un relajante baño.** Prepara un barreño de agua tibia (no caliente, como solemos pensar que es mejor), con dos pomelos partidos por la mitad e introduce los pies durante unos minutos. El agua a temperatura corporal ejerce una acción sedante y relajante, mientras que el pomelo actúa sobre tu piel como vasodilatador y desodorante.

Prepárate a conciencia

¡Quítate los zapatos! Nada más llegar a casa, descálzate y pon tus pies en agua templada con un aceite esencial (elige uno que sea antiinflamatorio, como el de limón con aceite de oliva, o el de almendra y rosa mosqueta). Después sécalos con mimo con una toalla y prepara tu masaje. A la hora de comenzar la "sesión", tan importante es lo que haces como la manera de hacerlo.

1. Para tu masaje de pies, lo primero es darle el tiempo que requiere. Será tu momento para hacerlo sin urgencias.

2. Lo segundo es acondicionar el entorno: procura tener una temperatura agradable, una luz tenue y hasta una música relajante.

3. Por último, intenta concentrarte en el aquí y ahora mediante dos o tres respiraciones conscientes, lentas y profundas. Ninguna idea ajena al masaje puede distraerte.

4. Frota tus manos entre sí para calentarlas e iniciar la rutina.

• **Tras secarte cuidadosamente,** siéntate cómodamente y apoyando una pantorrilla encima del muslo contrario, extiende crema hidratante o bien aceite esencial sobre el pie, desde los dedos hacia la pierna. Con los dedos de las manos, amasa suavemente sobre el dorso y la planta de los pies. Este automasaje beneficia sobre todo al conjunto de tendones que recorren el dorso de los pies procedentes de la pierna.

• **Amasa la planta con suavidad** con los nudillos, incidiendo especialmente en todo el contorno del talón y la región lateral interna del pie, desde los dedos hasta el tobillo. De este modo beneficias a distintos músculos plantares y, a la vez, activas el retorno venoso.

• **No descuides los tobillos.** Con las yemas de los dedos, realiza suaves círculos alrededor de la parte interna y externa de cada tobillo. Así estimulas la circulación sanguínea y linfática y ayudas a descongestionarlos, favoreciendo el descanso.

HAZLO REGULARMENTE

Los automasajes piden cierta constancia y dedicación. Considerando sus beneficios, vale la pena que encuentres periódicamente el momento para regalarte uno. Ten en cuenta algunos aspectos que te ayudarán a que sea aún más efectivo:

• **No necesitas mucho tiempo,** pero sí que ese rato estés tranquila y con una actitud atenta. De este modo irás aprendiendo cuáles son los puntos que requieren más cuidados y valorando los movimientos y técnicas que mejor te van.

• **Aplica la intensidad ideal** para cada punto que duela al presionar. Aunque creas que cuanta más fuerte es la presión, más beneficio, en realidad es lo contrario: se ha demostrado que los estímulos suaves activan, mientras que los excesivamente intensos inhiben.

• **Fíjate en el tono de las plantas** de tus pies: las zonas más pálidas indican que las lumbares pueden estar quedándose frías, con el riesgo de que se produzca dolor muscular. Si activas con el tacto esos puntos más blancos, puedes calentar el área lumbar. En cambio, el rojo nos habla de calor.

Así te ayuda la reflexología

Para la disciplina de la reflexología podal, en la planta del pie se manifiestan todas las partes del cuerpo. Buscar la localización de tus puntos dolorosos y aplicar una ligera presión con los dedos puede ayudar a aliviar considerablemente las molestias.

En el caso de la espalda, debes tener en cuenta que la zona refleja de la columna vertebral va por el lado interno de cada pie, desde el talón (donde se sitúa el coxis) hasta el extremo del dedo gordo (donde se encuentran virtualmente las vértebras cervicales). Es frecuente que al presionar sobre esta zona responda con dolor. Haz un masaje en rotación: con el pulgar presiona hasta sentir el hueso y masajea. Ve subiendo, poniendo más atención e intensidad en los puntos más molestos. Al relajar la musculatura, este masaje es capaz de aliviar los dolores a la altura de las vértebras lumbares, dorsales o cervicales sin tocar las zonas afectadas.

El masaje que te dejará "como nueva"

Este masaje está basado en el "shiatsu", una técnica que según un estudio de la Universidad Drake (EE. UU.) contribuye a aliviar el dolor de espalda. Para realizarlo, siéntate en una silla.

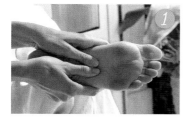

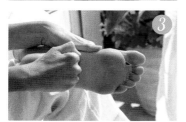

1 y 2. Presiona con los dos pulgares una línea imaginaria que vaya desde el talón hacia los dedos.

3. Pasa los nudillos tres o cuatro veces por toda la planta del pie, ejerciendo cierta presión, como si los amasaras, incidiendo en el talón .

4. Trabaja cuidadosamente dedo por dedo, apretando y asegurándote de movilizar cada una de las pequeñas articulaciones.

5. Con el codo flexionado, vuelve a dibujar círculos, dejando caer el peso del tronco sobre el pie para aumentar la presión.

6. Para finalizar, aprieta los pies con ambas manos, ayudándolos a doblarse hacia arriba y hacia abajo.

✓ 10 minutos de alivio por la noche

Si no sueles tener ni un minuto para ti, si las obligaciones se suceden a lo largo del día y son totalmente ineludibles y llegas al final de la jornada con un dolor importante en alguna zona de tu columna, este es el plan que te conviene seguir.

Realizar alguna actividad física es fundamental para que toda la musculatura que amortigua los esfuerzos (y que no los reciban tus vértebras) se mantenga fuerte, pero si sueles llegar al final del día con dolor te conviene ir al gimnasio por la mañana. En primer lugar, porque soportarás mejor los esfuerzos que te deparará la jornada y, en segundo término, porque si haces ejercicio intenso con dolor es muy probable que acabes con una lesión o con un daño mayor al que tienes.

CONSIGUE DESTENSIONAR

Si sigues este plan cada noche (o, al menos, cuatro veces por semana) notarás que poco a poco tu espalda "se queja" menos.

● **La relajación es básica.** El plan de estiramientos que hemos pensado para este momento es más suave que los anteriores. Son elongaciones más dulces cuya función principal es relajar una musculatura que se ha mantenido excesivamente tensa durante muchísimas horas.

● **Domina tú cada movimiento.** Es importante que marques cada postura con determinación, dirigiendo tu cuerpo y con el objetivo de que no haya giros o torsiones bruscas.

No olvides tensar y destensar la mandíbula.

3 minutos

Tensa y destensa

El primer ejercicio que te invitamos a hacer te ayudará a percibir que, efectivamente, tienes una tensión generalizada y a localizar la zona de tu cuerpo que más presión ha recibido a lo largo de todo el día.

Reconocer para solucionar. En multitud de ocasiones nos quejamos de dolor de espalda sin ser conscientes de que existe una intensa carga en esa zona y que, precisamente eso, es la causa principal de la molestia.

Túmbate en el suelo de manera que te encuentres cómoda y, desde el cuello hasta la punta de los pies ve siguiendo esta rutina: crea tensión en la zona y luego, repentinamente, "suelta" el músculo.

En la zona de los hombros súbelos y contráelos. Haz lo mismo para la columna vertebral (dorsales y lumbares), los puños y los pies (que se estirarán como si tiraran de ellos y luego relajarás).

3 minutos

Rueda la pelota 15 segundos bajo cada glúteo.

Masaje con pelota de tenis

Conseguir una pelota de tenis es bastante sencillo y te animamos a que lo hagas porque el beneficio que te aporta ese simple utensilio es grande.

En el músculo piriforme. No pocas ciáticas tienen su origen en él (justo donde está colocada la pelota en la imagen superior). Cuando se altera o se inflama, irrita el nervio ciático y es entonces cuando, también por los malos gestos diarios, aparece un dolor que puede llegar a ser incapacitante.

Hay varias formas de masajearlo y notar alivio. Una es colocando la pelota en esa zona y hacerla rotar muy suavemente con el glúteo, sin hacer una presión excesiva. Tiene que ser un movimiento ligero y constante. Si deseas abarcar una zona más extensa, puedes introducir dos pelotas de tenis en un calcetín y coserlo por el extremo abierto, o hacer un nudo. Debes tener en cuenta que no hay que colocar la pelota justo en el punto de más dolor.

Sabías que...

Las pelotas alivian. Como acabas de ver, una simple pelota de tenis puede contribuir a que tus molestias disminuyan. Hay cientos de ejercicios que puedes hacer con ella (aguantarla con el hombro en la pared y hacerla rodar, por ejemplo). Otra buena idea para relajar la musculatura es hacer estiramientos sobre una pelota gigante (de pilates) hinchable.

Ejercicio **1**

La postura
de la cúpula

Sitúate de pie, con las rodillas sin tensar (dóblalas un poco para que te resulte más fácil) y el peso repartido en las plantas de los pies.

● **Eleva los dos brazos** a la vez con las palmas hacia tu cabeza. Verás que estás simulando la forma de una cúpula, tal y como te muestra la fotografía de la derecha.

● **Aguanta 5 segundos** y baja los brazos por delante del cuerpo sin rotarlos en ningún momento (las palmas de las manos permanecen hacia dentro).

● **Cuando de nuevo estén** en su posición inicial, a ambos lados de tus caderas, haz una respiración suave.

Sabías que...

Si te resulta imposible subir uno o los dos brazos, pudieras tener calcio acumulado en la musculatura implicada. Se conoce como tendinitis calcificante y puede requerir tratamiento médico.

30 segundos

Haz todo el movimiento muy lento.

30 segundos

Coge aire por la nariz al abrir los brazos.

El aleteo
de brazos

En la misma posición que en el ejercicio anterior y manteniendo las rodillas ligeramente dobladas para no sobrecargar la zona del coxis, realiza este otro ejercicio que te aliviará:

- **Sube y abre** los codos como si estuvieras haciendo un aleteo de mariposa. Los hombros deben permanecer relajados.
- **Las palmas de las manos** se miran, y al abrir los codos los dedos casi se tocan. Coge aire al abrir los brazos y suéltalo lentamente al bajarlos.

Sabías que...

Si al realizar este movimiento notas crujidos continuos e intensos, quizá sea porque la musculatura de la zona no está en demasiadas buenas condiciones y no hacen su función de sujeción. En el caso de que no exista contraindicación médica, sé constante con estos movimientos y hazlos con suavidad.

Ejercicio ③

Extensión
lateral

En este caso es muy importante que te fijes bien en cuál es la posición. No se trata de hacer un balanceo sino de estirar el lateral del torso pero ayudando, con la otra mano, a la estabilidad de la columna.

● **Sitúa la palma** de la mano derecha en el lateral de tu cuerpo de manera que toda la palma esté bien apoyada. Coloca la otra mano en la cabeza y tapando la oreja contraria.

● **Deja caer el torso** hacia ese lado y con los dedos que están apoyados empuja un poco las costillas al tiempo que tiras muy levemente de la cabeza hacia la zona inversa. Aguanta 15 segundos y repite hacia el otro lado.

30 segundos

Tira suavemente de la cabeza para alargar las fibras.

Sabías que...

Cuando hay tensión continua en los músculos, estos suelen acortarse. Este movimiento afloja y estira todos esos tejidos musculares, lo que reduce el dolor y te ayuda a dormir mejor.

30 segundos

Entrelaza tus dedos para sujetar mejor las rodillas.

Ejercicio **4**

Manos
en la rodilla

Es habitual que la zona superior central de la espalda, las dorsales, recoja muchas de las tensiones diarias. A veces el dolor se concentra en la base del cuello, otras a ambos lados de él.

- **Siéntate en la cama** y entrelaza los dedos justo por debajo de la rodilla, sobre la rótula.
- **Con los brazos rectos** expande el pecho y contrae la zona superior de la espalda, como si quisieras juntar los omóplatos o escápulas (paletilla). Haz 15 segundos con cada lado.

Sabías que...

Que notes molestias al girar el cuello o que incluso no puedas girarlo tanto como tiempo atrás puede estar avisándote de que se han acortado unas unidades musculares denominadas sarcómeras. Si no lo frenas a tiempo, relajando la musculatura, el dolor se acabará irradiando a otras zonas del cuerpo.

Ejercicio ⑤

Relaja la
musculatura

Siéntate en el filo de la cama y procura no tener objetos delante que te impidan el movimiento.

● **Con la espalda** recta deja caer el tronco lentamente hacia delante. Puedes hacerlo con los ojos cerrados, si lo prefieres.

● **Siente cómo baja** cada vértebra, cómo se van abriendo para facilitar la extensión de la columna vertebral. Inspira tres veces (manteniendo 10 segundos la posición). La cabeza debe estar entre las rodillas pero no la bajes mucho, la punta de tu nariz debe dirigirse al suelo.

● **Sube lentamente,** espera unos segundos en la posición inicial y repite el movimiento 2 veces más.

Sabías que...

Si haces demasiado deprisa esta postura de relajación extrema, agachándote o levantándote a más velocidad de la conveniente, puedes tener hipotensión ortostática y marearte.

30 segundos

Apoya las manos en el suelo.

Procura no estirar mucho los brazos.

Ejercicio ⑥

Alarga tus lumbares

Súbete a la cama y colócate de rodillas sobre el colchón ya con la ropa de dormir y sin zapatos.

● **Lleva el tronco** hacia delante y apoya las manos tal y como indicamos en la imagen superior. El peso del cuerpo debe estar repartido entre todas las áreas que están en contacto con la superficie (frente, manos, rodillas y piernas) pero no hagas presión. Deja que el cuerpo caiga sin más y céntrate en notar cómo se estira toda tu columna vertebral en esa posición de relajación.

● **Aguanta la posición 15 segundos** y luego haz unos leves balanceos hacia delante y hacia atrás. Pero que sean muy suaves y sin perder la posición. Hazlo 5 o 6 segundos y vuelve al estiramiento inicial manteniéndolo el resto de segundos hasta llegar a los 30 estipulados para cada movimiento.

Sabías que...

Estos estiramientos antes de acostarte te ayudarán a conciliar el sueño nada más introducirte en la cama. Tus músculos estarán relajados y tu mente despejada y desconectada de las tareas diarias. Una vez bajo las sábanas, no pienses en nada más que lo bien que "sientes" tu espalda sin dolor alguno.

30 segundos

Con los giros, tu cuerpo dejará de "pesar".

Ejercicio 7

Rota a derecha e izquierda

Estás casi a punto de finalizar el plan de 10 minutos que logra relajar por completo tu musculatura. Con este movimiento tu mente dejará de pensar en otra cosa que no sea girar.

● **Colócate boca arriba** sobre la cama. Si lo prefieres, coloca un cojín bajo tus piernas. Aguanta la posición 10 segundos pensando, únicamente, en qué partes de tu cuerpo pesan más.

● **Abre tus brazos** y tus piernas y gira hacia un lado lentamente (los pies actúan como bisagra), vuelve al centro y después gira hacia el lado contrario. Hazlo durante aproximadamente 10 segundos.

● **Ponte de nuevo boca arriba** y comprobarás cómo han cambiado los apoyos: allá donde notabas más peso ya no existe. Repite 10 segundos más y pasa al último movimiento de relajación muscular.

Sabías que...

El origen de este movimiento se encuentra en el yoga y esta doctrina recomienda que, para que sea lo más relajante posible, intentes despegar lo mínimo la parte superior de la espalda de la superficie. El estiramiento tienes que sentirlo en los muslos, las ingles, los brazos, el cuello, el estómago y la espalda.

30
segundos

Tras finalizar,
disponte a dormir.

Posición fetal

Este estiramiento dulce es muy similar al anterior, pero aún logras mayor relajación. Para desconectar totalmente te recomendamos que centres tu mente en cómo estás realizándolo, procurando no pensar en nada más. Luego, aprovecha de inmediato esa tranquilidad mental para acostarte.

● **En esta ocasión,** además de las piernas, giras la cabeza y el cuerpo a la vez, manteniéndolo en la llamada posición fetal.

● **Cuando gires hacia la derecha** arrastra el brazo izquierdo sobre la cama pero por encima de tu cabeza como si dibujaras 3/4 de círculo. Mantén la postura unos 15 segundos y repite todo el movimiento hacia el lado contrario.

Sabías que...

Si acompañas este plan relajante y antidolor con una música de fondo, el resultado será aún más positivo. Según diversos estudios, los sonidos de la naturaleza son los más efectivos.

Tu valoración:
Por la noche...

Como has visto, tus hábitos al final del día pueden ser cruciales para aliviar el dolor. Comprueba si haces todo lo que está al alcance de tu mano.

¿Consigues librarte
de la tensión acumulada?

Los pequeños gestos que liberan la tensión acumulada son decisivos por la noche. Marca con una "X" los que ya has incorporado a tus rutinas habituales.

☐ Cuando me siento en el sofá al llegar a casa, no me dejo caer de cualquier forma.

☐ Si tengo un "nudo" en la espalda lo presiono con el pulgar para eliminar la molestia.

☐ Cuando siento especialmente el dolor, le pido a alguien que masajee la zona.

☐ Al leer, utilizo un atril y siempre procuro ponerme las gafas (si las necesito).

☐ Antes de acostarme, alineo mi espalda poniendo los pies en la pared.

☐ Cuando tengo tos, procuro ponerle remedio cuanto antes.

☐ No utilizo tabletas o móviles en la cama.

☐ Si siento la mandíbula tensa, pongo mi lengua en el paladar para "soltarla".

Qué puedo mejorar:

¿Tu cama es la ideal
para ganar confort?

Es básica para dormir bien y no levantarte contracturada. Revisa si estás teniendo en cuenta los detalles:

☐ La almohada está a la altura adecuada.

☐ Mi colchón y somier tienen la rigidez, el tamaño y la flexibilidad que requiere mi cuerpo.

☐ Duermo en posición fetal.

Qué puedo mejorar:

¿Sabes actuar ante
una crisis de dolor?

Muchas veces la gente falla al tratar de solucionar ese pico de dolor. ¿Tú lo haces bien?

- [ ] Sé distinguir cuando se trata de una urgencia.
- [ ] No me excedo con el reposo.
- [ ] Acudo al médico cuando tengo dudas.
- [ ] Nunca me automedico.

Qué puedo mejorar:

¿Conoces las "reglas"
para aplicar frío o calor?

Es una opción ideal al final del día cuando se presenta dolor, pero debes hacerlo adecuadamente. Comprueba si conoces la forma correcta de aplicarlo:

- [ ] Si el dolor es reciente siempre aplico frío.
- [ ] Si hace días que me duele opto por el calor.

Qué puedo mejorar:

¿Alivias tu dolor
sin recurrir a los fármacos?

Piensa en todo lo que está a tu alcance para aliviar el dolor y repasa lo que tú haces.

- [ ] Me baño en agua caliente con azufre.
- [ ] Hago "una bola" con mi cuerpo para descontracturar.
- [ ] Trato de ser positiva todo el rato.

- [ ] Me doy un masaje con aceite de jengibre.
- [ ] Recurro a remedios naturales caseros contra las contracturas.
- [ ] Tomo una infusión analgésica.
- [ ] Me regalo un automasaje de pies.

Qué puedo mejorar:

¿Tienes 10 minutos
para relajarte?

El plan de estiramientos al final del día es adecuado para relajar la musculatura que provoca dolor. ¿Lo sigues?

- [ ] Hago el ejercicio de apretar y soltar durante 3 minutos para destensar todo el cuerpo.
- [ ] Me doy un masaje con pelotas de tenis.
- [ ] Sigo el plan de estiramientos que alivian.

Notas

Cuida (más) tu peso y
tu columna se quejará menos

Como habrás visto a lo largo de este manual, la mayoría de las veces el dolor de espalda tiene su origen en la repetición de malas posturas y pésimos movimientos para las vértebras. Si te sobran algunos kilos, ese daño se duplica. Con esta dieta, que incluye alimentos antidolor y que te servirá de base para elaborar tus propios menús, podrás ir acercándote a un peso más saludable.

Mantener la línea aleja el dolor

Aparentemente, estos dos conceptos no tendrían por qué estar relacionados y, sin embargo, lo están. Y mucho. Infinidad de investigaciones lo han demostrado y los médicos saben que el dolor es una queja frecuente cuando hay sobrepeso.

Estar en tu peso favorece que hagas ejercicio y eso te protege.

La Sociedad Americana de Obesidad lo ha advertido en muchas ocasiones: las personas con sobrepeso importante o que ya padecen obesidad tienen un altísimo riesgo de sufrir dolor crónico de espalda. Es solo un ejemplo de las muchas advertencias que han lanzado las entidades médicas de todo el mundo para intentar concienciar sobre dos trastornos cada vez más frecuentes y muy relacionados entre sí: la obesidad y el dolor de espalda. La recomendación afecta a toda la población en general pero sobre todo a las mujeres porque, por lo general, suelen tener una musculatura más débil y su columna vertebral puede quedar más expuesta a las agresiones. Recuperar el peso ideal es el primer consejo médico cuando alguien sufre dolores de espalda recurrentes. Y es que hacerlo alivia el dolor por muchas razones:

1 Cuantos más kilos, menos ejercicio

Una de las consecuencias del sobrepeso es la dificultad de respirar y el cansancio. En esas situaciones, es muy probable que la persona rehuya el ejercicio físico (sobre todo en los momentos iniciales) y puede sentirse peor. Ten en cuenta que...

● **Entras en una espiral de dolor.** A medida que se van sumando los kilos y no se hace ejercicio físico, el sobrepeso aumenta... y también el dolor (a menos actividad física más anquilosamiento de las estructuras vertebrales). De ahí la importancia de establecer un plan adecuado de ejercicio (de la mano de un entendido o un profesional que lo adecue a la persona) y de establecer unas metas lógicas y progresivas: muy sencillas al principio y que vayan aumentando a medida que el peso se modifica a la baja.

2 Allá donde hay grasa, hay inflamación

Desde hace tiempo se sabe que las grasas tienen actividad metabólica y eso significa que son capaces de generar ciertas sustancias. Y fabrican una que en concreto aumenta la inflamación del organismo. De hecho, cada vez se tiene más claro que la obesidad es una enfermedad inflamatoria.

● **También los expertos saben** que allá donde hay inflamación hay más sensación de dolor. Así pues, acumular grasa provoca que acabes sintiendo más dolor.

Comer sin grasas evita la inflamación, que causa dolor.

3 No verse del todo bien incrementa el malestar

Aunque no siempre ocurre, muchas de las personas con un sobrepeso importante no están a gusto con su apariencia física. Y eso también puede repercutir en la sensación de dolor.

● **Esa no aceptación personal** puede ir acompañada de estados depresivos, lo cual puede rebajar el umbral del dolor y notar molestias ante esfuerzos que, en otras condiciones, sí serían llevaderos.

4 Perder peso mejora la musculatura

En las páginas siguientes te mostramos una dieta baja en calorías pero muy alta en nutrientes que cuidan tus músculos y tendones (con omega 3, magnesio y antioxidantes).

● **Anímate a seguirla** (habla con tu médico si es preciso) y reduce el peso que te sobra. Incluso una pequeña pérdida (lo recomendable es perder 1 kilo por semana) supone un beneficio para tu columna vertebral.

Así influye el peso en tu espalda

1 Más ansiedad, más kilos... y más dolor

En muchísimas ocasiones, un sobrepeso importante —o un determinado grado de obesidad— esconden en realidad una situación de ansiedad permanente.

● **Esos nervios** llevan a la persona a comer más y a hacerlo peor porque buscan una recompensa inmediata. De esa forma, el cerebro intenta encontrar seguridad para contrarrestar el estado de alerta que les ocasiona el problema causante de sus nervios y que no pueden (o al menos así lo consideran) solucionar. Lógicamente —y si esas calorías extras no se gastan— los kilos de más se van añadiendo y, como ya hemos explicado, eso hace que sea altamente probable que esa persona acabe notando dolor.

● **Pero además,** la ansiedad en sí misma generará tensión muscular y, como ya hemos visto en páginas anteriores, eso es sinónimo de dolor.

● **La solución a todo ello** pasa por reducir esa carga ansiosa (se resuelva o no el problema que la ha desencadenado) para no añadir calorías vacías a la alimentación.

2 La relación es totalmente lineal

En Estados Unidos se ha comprobado que la relación entre los kilos de más y el dolor de espalda y de articulaciones es directamente proporcional. Para que lo puedas entender aún más fácilmente, imagina dos líneas paralelas. A medida que una (la que corresponde al índice de masa muscular, el peso según el volumen del cuerpo) aumenta, la otra (la que simboliza el dolor) también lo hace. Ni qué decir tiene que cuando se padece una obesidad mórbida (el resultado del IMC es superior a 40), el dolor de espalda y localizado en la zona lumbar es casi continuo. Es lógico, puesto que los discos y otras estructuras espinales se van dañando al tener que compensar la presión del peso extra en la espalda.

3 Tu columna intenta compensar

Si se da la circunstancia de que tu cuerpo tiene un peso excesivo, la columna vertebral tenderá a compensar inclinándose (o bien hacia delante o bien hacia atrás) para tratar de buscar una nueva estabilización. Esa situación, mantenida en el tiempo, da lugar a una curvatura antinatural de la espalda.

4 Más riesgo de recaída tras operar una hernia

En multitud de ocasiones se ha podido demostrar —a partir del seguimiento de personas sometidas a cirugía por una hernia de disco— que

Reducir cintura hace que la espalda soporte menos presión.

aquellos que sufrían algún grado de obesidad tenían un riesgo mayor de que esa hernia se reprodujera.

5 La recomendación de algunos especialistas

Puesto que también se ha visto que los resultados inmediatos de la cirugía (sin tener en cuenta el paso del tiempo) pueden ser peores en personas con más kilos de los que les corresponde por complexión y talla, muchos especialistas recomiendan a sus pacientes adelgazar antes de entrar en quirófano.
● **Si lo logran,** el postoperatorio también suele resultar más llevadero y la recuperación es más corta.

6 Hasta el equilibrio postural se resiente

No hace demasiado tiempo se llevó a cabo un experimento con personas obesas e individuos con normopeso.

● **Cuanto mayor era el peso sobrante,** más dificultades tenían esas personas para mantenerse estables con los ojos cerrados. Y eso mismo ocurre, aunque no se perciba tan claramente como al cerrar los ojos, en cualquier momento del día en que se permanezca de pie. Las estructuras musculoesqueléticas tienen que hacer un esfuerzo extra para mantener la postura, ya que el sobrepeso tiende a desestabilizar el cuerpo.

7 La grasa concentrada en la zona abdominal

En páginas anteriores mencionábamos la importancia de tener unos músculos abdominales fuertes y la mejor manera de conseguirlos sin dañar tu espalda.
● **Estos músculos** son especialmente importantes para "sujetar" de manera correcta la columna. Cuando hay demasiada grasa abdominal esa función no la realizan y adoptas peores posturas.

Tus armas antikilos

1 Si sigues una dieta, que sea la correcta

Son muchos los expertos que alertan de que una pérdida de peso rápida nunca es saludable, además de que incrementa el riesgo de tener un efecto yoyó y el cuerpo recupere en poco tiempo el peso perdido.

● **Pero hay otro dato** que debes conocer: perder muchos kilos en poco tiempo por una propuesta alimentaria demasiado estricta puede ocasionarte más dolor de espalda. Si esa alimentación no te aporta suficientes vitaminas y minerales, todas las estructuras que hacen de colchón de tus vértebras también se resentirán. Los músculos pueden tener, incluso, pequeños espasmos que provoca-

rán mayor tensión en determinadas zonas, ya expuestas normalmente a las cargas habituales del día a día.

● **Lo importante** es recordar que, del mismo modo que los kilos de más te provocan dolor de espalda, una dieta adecuada y la pérdida justa del peso que te sobra puede ayudarte a vivir sin dolor.

2 La hidratación es muy importante

Además de necesitar minerales, tus vértebras precisan de una buena hidratación para mantener su flexibilidad y su capacidad amortiguadora.

● **Si no te hidratas bien** los discos pueden sufrir una degeneración rá-

pida y, en poco tiempo, lesionarse más fácilmente con las cargas habituales que antes sí soportaban bien.

● **Los calambres** pueden volverse igualmente frecuentes si el organismo no recibe todos los nutrientes y electrolitos que precisa. Y todo eso se acaba traduciendo en mayor rigidez y tensión muscular.

● **Recuerda que la mejor** hidratación es aquella que te aporta el agua o los zumos caseros e incluso los smothies con vegetales y frutas.

3 Busca los alimentos ricos en magnesio

Este mineral es imprescindible para la salud de tu espalda en particular y de todos los grupos musculares de tu cuerpo en general.

● **Lo encuentras en los vegetales** de hoja verde como las espinacas y las acelgas (porque va ligado a su clorofila, ya que lo necesitan para hacer la fotosíntesis) y en la coliflor.

● **Otras fuentes son** las nueces, las judías, las almendras y las semillas de calabaza, de girasol y de sésamo.

● **También lo encuentras** en el arroz integral, el alga agaragar, las hojas de cilantro secas y el cacao en polvo (sin azúcar añadido).

● **Siempre que puedas,** adquiere vegetales de cultivos orgánicos porque si se usan fertilizantes estos pueden rebajar el contenido de magnesio que tienen los alimentos.

La cúrcuma es un analgésico natural que aleja el dolor.

4 Añade cúrcuma a tus platos

Esta milenaria especia (el principal ingrediente utilizado en la elaboración del curry) se usa como antiinflamatorio en Asia desde hace siglos. Es un analgésico natural y, según algunos estudios, es tan eficaz como los medicamentos para combatir un proceso inflamatorio (algo habitual en pequeñas lesiones de la espalda que no acaban de curar porque la agresión que recibe es continua).

● **Puedes añadirla** en la elaboración de cualquier plato, tal y como harías con otro condimento.

● **Pero también** es eficaz como té. Para elaborarlo basta con añadir una cucharadita de cúrcuma a un cazo con agua hirviendo y, bajando el fuego, mantenerlo en cocción unos 15 minutos. Luego, retira y cuela. Puedes agregarle un poco de miel para endulzar un poco la preparación, si lo deseas.

5 Por qué no puede faltarte omega 3

Cuando nuestro organismo no dispone de suficientes ácidos grasos omega 3, los procesos inflamatorios (incluidos los que afectan a la espalda) se suceden con más frecuencia.

● **Está en el pescado azul,** (consume preferentemente el de pequeño tamaño como sardinas o boquerones), las nueces, el aceite de oliva virgen extra o el aceite de krill, un pequeño crustáceo parecido al camarón.

6 Lo bueno de tomar piña más a menudo

Es otro de los alimentos de reconocido efecto antiinflamatorio. Y se lo debe a una sustancia (una enzima) presente en ella, la bromelina.

● **Al parecer,** la piña ayuda, además, a que el músculo se restablezca tras una sesión de ejercicio. Así, tomar un poco de esta fruta puede ser una buena manera de acabar tu sesión de gimnasia: aporta, además de bromelina, fibra, líquidos y vitaminas.

Menús que adelgazan y alivian

Algunos especialistas señalan que por cada kilo extra de peso que le añades al cuerpo, la columna vertebral soporta 10 kilos más de presión. Imagínate cuánto ha estado sufriendo tu espalda si hace tiempo que te sobra algo de peso. Haz memoria: si antes de acumular esos kilos de más no sufrías tantas molestias en la zona, es probable que ese exceso de peso sea precisamente el principal precursor de tus dolores de espalda recurrentes.

• **Toma menos calorías.** Te proponemos una dieta de un mes con platos sabrosos y apetecibles (al final del capítulo te mostramos las recetas de los platos resaltados en los menús). Si la sigues, perderás 3 o 4 kilos y enseguida notarás que eso alivia tu espalda.

• **Incorpora alimentos antidolor.** Ya te hemos avanzado cuáles te ayudan y los hemos incorporado a lo largo de estos menús, para potenciar el efecto antidolor de la dieta.

• **Además de vigilar tu peso** e incluir los alimentos que a continuación te relacionamos, procura no abusar de alimentos procesados, con muchos aditivos, harinas blancas, grasas trans y café, porque algunos estudios relacionan todo ello con el incremento del dolor.

Día ①

COMIDA
Plato único: Guiso de soja con arroz integral, acelgas, un puñado de almendras y salsa de tomate con aceite de oliva virgen • Yogur natural desnatado con arándanos

CENA
Ensalada de naranja, pomelo y mandarina con granada y vinagreta de Módena • Tostada integral con hummus de garbanzos y anchoas • Manzana al horno

Día ②

COMIDA
Cestitos con ensalada de manzana, queso y un puñado de nueces • Merluza al vapor con limón y guarnición de cuscús • Una rodaja de piña natural

CENA
Sopa de verduras preparada con puerro, zanahoria y judía verde • Croquetas de arroz integral, espinacas, cebolla y piñones • Pera

Día ③

COMIDA
Ensalada tibia de alcachofas y coliflor con una vinagreta de ajo, perejil y cebollino • Guiso de arroz integral con conejo y setas al curry • Piña

CENA
Cardos salteados con un puñadito de almendras • Boquerones asados con ajo y perejil y ensalada de lechuga, zanahoria, cebolla, tomate y apio • Kiwi

Día ④

COMIDA
Guiso de alubias con calabaza, judías verdes, cebolla, ajo y una pizca de cúrcuma • Sardinas a la plancha espolvoreadas con ajo y perejil • Yogur desnatado

CENA
Crema de col y manzana • Tortilla de cebolla acompañada con una ensalada de lechuga con germinados de soja y alfalfa • Plátano

Día ⑤

COMIDA
Arroz integral con verduras (brócoli, berenjena, calabacín, pimiento, zanahoria y cebolla) al curry • Brocheta de pavo y coles de Bruselas • Yogur desnatado

CENA
Ensalada de canónigos y mango troceado con nueces • Revoltillo de ajo, champiñones laminados y cebollino picado • Uvas

Día ⑥

COMIDA
Crudités de verduras (judía verde, zanahoria, calabacín y brócoli) acompañada de salsa agridulce • Salmón con cebolla y guisantes • Yogur desnatado con frutos rojos

CENA
Ensalada de remolacha y rabanitos con vinagreta de cítricos Crema de verduras con huevo escalfado • Compota de manzana con un puñado de piñones

Te ayuda...

Empezar el día con un zumo de naranja. Numerosos estudios han demostrado que a mayor consumo de frutas y verduras, menores niveles de marcadores inflamatorios en el organismo. También se ha relacionado el consumo de cítricos con una menor inflamación.

Día 7

COMIDA

Gratén de puerros al horno con una salsa besamel ligera • Paella de arroz integral con verduras • Macedonia de cítricos con salsa de chocolate negro

CENA

Ensalada verde con pimientos asados • Hamburguesa vegetal (de soja) con sofrito de tomate, una pizca de ajo y cebolla • Yogur desnatado

Día 8

COMIDA

Brócoli salteado con anacardos y sésamo negro • Pechuga de pollo con pisto de berenjena, tomate, pimiento, cebolla y calabacín • Mandarinas

CENA

Endibias rellenas de manzana laminada, queso fresco y dátiles • Lenguado a la plancha acompañado de salteado de verduras • Uvas

Día 9

COMIDA

Escarola con aguacate, queso fresco y piñones crudos • Salmonetes a la plancha con perejil picado con un tomate asado con un chorrito de aceite de oliva • Zumo de pera y kiwi

CENA

Sopa de verduras en juliana de temporada • Filete de pavo al horno relleno de puerro picado con guarnición de puré de calabaza • Una rodaja de piña

Día 10

COMIDA

Plato único: potaje de garbanzos con patatas y verduras variadas de temporada • Yogur desnatado con un puñado de arándanos.

CENA

Ensalada de lechugas variadas con dados de piña y un cordón de vinagreta de pistachos • Sardinas asadas con salsa de tomate • Crema de mango

Día 11

COMIDA

Ensalada de germinados (de trigo, alfalfa, soja, cebolla, lenteja o garbanzo) con granada • Cazuela de arroz integral con verduras de temporada y pollo • Pera asada

CENA

Crema de brócoli con yogur desnatado y un puñadito de semillas de sésamo • Tortilla de un huevo de puerros y cebolla • Plátano

Día 12

COMIDA

Crema de lentejas y zanahoria • Perca a la plancha con guarnición de pimientos rojos asados • Yogur desnatado con frutos rojos

CENA

Ensalada de tomate con aceite de oliva virgen extra y una pizca de orégano • Lasaña vegetal con tomate, calabacín, berenjena, cebolla y pimiento • Uvas

Sabías que...

Utilizar aceite de oliva en lugar de salsas te conviene. Las salsas industriales suelen ser ricas en grasas trans que elevan la concentración en sangre de sustancias inflamatorias como la IL-6 y PCR, mientras que el aceite de oliva virgen desinflama.

Día ⑬

COMIDA
Ensalada de col cortada en juliana, manzana laminada y remolacha ● Pierna de conejo al ajillo con champiñones ● Rodaja de piña natural con salsa de chocolate negro

CENA
Judías verdes al vapor con patatas al curry ● Filetes de caballa a la plancha con una picada de ajo y perejil ● Yogur desnatado natural

Día ⑭

COMIDA
Ensalada de papaya con salsa de yogur ● Besugo con cebolla, tomate y una patata pequeña, todo asado al horno con un chorrito de aceite de oliva virgen ● Peras al vino tinto

CENA
Sopa de nabos ● Pisto de berenjena, tomate, calabacín, cebolla y pimiento con huevo escalfado ● Carpaccio de cítricos con frutos secos

Día ⑮

COMIDA
Escarola y berros con nueces y granada aliñada con un chorrito de aceite de oliva virgen y vinagre de Módena ● Potaje de soja verde con patata y espinacas ● Yogur desnatado

CENA
Sopa tibia de remolacha elaborada con caldo de verdura casero ● Sepia a la plancha con una picada de ajo y perejil ● Manzana

Día ⑯

COMIDA
Curry de gambas con arroz integral ● Dados de pollo salteados con piña ● Zumo natural recién exprimido de manzana y pera

CENA
Consomé de verduras con hierbabuena ● Salteado de guisantes y colinabo con cebolla y huevo duro ● Yogur desnatado con nueces

Día ⑰

COMIDA
Verduras estofadas con patata al tomillo ● Salmón asado al limón acompañado con chucrut (col fermentada) ● Macedonia de piña y mango

CENA
Ensalada de rúcula, queso fresco y un puñado de nueces y pasas con una vinagreta agridulce ● Filete de pavo a la plancha con champiñones ● Mandarinas

Día ⑱

COMIDA
Ensalada de aguacate, escarola y granada ● Muslos de pollo al horno con pimientos verdes, cuscús y una pizca de cúrcuma ● Requesón con compota de fresa

CENA
Crema de coliflor y cebolla al aroma de azafrán (con patata) elaborada con caldo vegetal casero ● Pescadilla a la plancha al tomillo ● Uvas

Te ayuda...

Mezclar la cúrcuma con pimienta. Por sí misma ya es una especia con poder antiinflamatorio, tal como te hemos explicado, pero para asimilar con más facilidad los curcuminoides te conviene combinarla con una pizca de pimienta.

Día 19

COMIDA

Plato único: cazuela de garbanzos con patata, cebolla, zanahoria, calamares cortados a rodajas y langostinos pelados
• Yogur desnatado con arándanos

CENA

Endibias aliñadas con una vinagreta agridulce
• Lenguado con guarnición de coles de Bruselas al vapor y limón • Dos rodajas de piña natural

Día 20

COMIDA

Ensalada de canónigos, dátiles deshuesados y piñones crudos con una cucharada de salsa de yogur desnatado
• Cazuela de rape y fideos al curry • Zumo de naranja y pomelo

CENA

Crema de champiñones con copos de avena
• Huevo escalfado con sofrito suave de ajo, cebolla, tomate y aceite de oliva
• Kiwi

Día 21

COMIDA

Puré de alubias blancas y verduras de temporada
• **Marmitako de salmón con puré de patatas y verduritas**
• Yogur desnatado natural

CENA

Sopa de cardos con hierbabuena • Judías verdes con patata, cebolla, huevo duro troceado y aceite de oliva virgen • Compota de manzana con frutos rojos y almendras

Día 22

COMIDA

Canelones de espinacas con piñones tostados y pasas de Corinto • Conejo al horno con ajo y perejil y col lombarda • Dos rodajas de piña bañada en chocolate negro

CENA

Ensalada de remolacha con dados de queso fresco y vinagreta de cítricos
• Filete de caballa con berenjena asada
• Pera

Día 23

COMIDA

Ensalada de lechugas variadas con setas
• Estofado de pavo con pimiento, zanahoria, tomate, cebolla, alcachofa y patata •
Macedonia de frutas con salsa de chocolate negro

CENA

Sopa de nabos
• Salteado de verduras frescas (espárragos, coliflor y zanahoria) con huevo escalfado
• Queso fresco con uvas

Día 24

COMIDA

Wok de verduras con arroz integral
• Merluza a la plancha con guarnición de judías verdes al vapor
• Manzana asada con una picada de almendras tostadas

CENA

Crema de brócoli con patata y un puñadito de almendras
• Boquerones a la plancha con una picada de ajo y perejil
• Plátano

Sabías que...

Un puñadito de frutos secos a diario te viene muy bien. Nueces, almendras o avellanas, además de contener ácidos grasos insaturados, tienen una buena cantidad de fibra, compuestos fenólicos y otras sustancias con efecto antiinflamatorio.

Día 25

COMIDA

Cazuela de guisantes
con patatas cortadas
a rodajas al curry
• Salmón asado con
alcaparras al limón
y espárragos
• Yogur desnatado
con frutos rojos

CENA

Ensalada de hojas
de escarola, naranja,
manzana y
un puñado de nueces
• Pechuga de pollo
a la plancha con
tomates asados
• Piña

Día 26

COMIDA

Ensalada de canónigos
y peras aliñada con
vinagreta de frutos
secos • Conejo
al horno con guarnición
de pimientos y cuscús
• Un puñado
de uvas

CENA

Coles de Bruselas
salteadas con ajo,
cebolla y virutas de
jamón serrano
• Pechuga a la plancha
con ajo y perejil
• Yogur
desnatado

Día 27

COMIDA

Brochetas de puerro,
patata y calabaza
asadas al horno
• Brandada de bacalao
con setas variadas a
la plancha con ajo y
perejil • Cóctel de piña,
mango y granada

CENA

Ensalada tibia de
verduras de
temporada con un
puñado de piñones
• Berenjenas rellenas
con queso fresco
y tomate
• Kiwi

Día 28

COMIDA

Plato único: cocido
vegetariano con
garbanzos, patatas,
puerros, zanahorias,
tomate, repollo, acelgas,
laurel, perejil y pimentón
• Yogur desnatado con
frutos rojos

CENA

Crema de acelgas
con patata
• Sardinas marinadas
acompañadas con
ensalada de lechuga,
tomate y cebolla
• Un par de
mandarinas

Día 29

COMIDA

Dados de aguacate y
tomate con salsa de
yogur • Muslo de pollo
asado al horno con
patata cortada a rodajas
finas y chucrut
• **Canelones de piña
con yogur y granada**

CENA

Crema de calabaza,
puerro y semillas de
sésamo tostadas
elaborada con caldo
de verduras casero •
Tortilla de champiñones
y brotes de soja
• Pera

Día 30

COMIDA

Ensalada de lentejas
y berros con cebolla,
tomate y pimiento y
vinagreta de limón
• Filete de perca
con pimientos y
champiñones • Yogur
desnatado

CENA

Sopa de cebolla
casera con pan
integral
• Revuelto de un
huevo con espárragos
y guisantes hervidos
• Un puñado
de uvas

Sabías que...

Las proteínas son necesarias. Son fundamentales para mantener un buen tono muscular, lo que aleja el riesgo de sufrir dolor de espalda. Si eliges pescado azul sumarás omega 3, de efecto antiinflamatorio, que también te conviene.

La receta

Cestitos con ensalada
de manzana, queso y nueces

Corta las hojas de pasta en 8 discos, pincélalos por ambos lados con aceite y superponlos de dos en dos. Forra con ellos 4 moldes y cuécelos, en el horno precalentado a 180°, 10 minutos, hasta que la pasta se dore. Retíralos, déjalos enfriar y desmóldalos con cuidado.

Pela la manzana y lava la lechuga. Escurre los espárragos, los pepinillos y la ventresca. Desmenuza esta última y corta en trozos pequeños lo demás, junto con el queso. Mezcla todos los ingredientes y añade las nueces.

Prepara una vinagreta batiendo 5 cucharadas de aceite con 2 de vinagre, sal y pimienta. Rellena los cestillos con la ensalada, aliña con la vinagreta y sirve enseguida.

INGREDIENTES

- 8 hojas de pasta brick
- 100 g de lechugas variadas
- 150 g de queso manchego curado
- 1 botecito de puntas de espárrago
- 1 manzana
- 5 pepinillos
- 50 g de nueces picadas
- 1 lata de ventresca de bonito
- Pimienta
- Sal
- Aceite de oliva
- Vinagre

Tiempo: 35 minutos
Raciones: 4
Calorías: 305

El truco

No dejes los cestillos preparados con anterioridad: rellénalos justo antes de servirlos en la mesa porque la pasta brick se reblandece muy pronto.

La receta

Brócoli salteado
con anacardos y sésamo negro

Limpia el brócoli, pelando el tallo y las áreas fibrosas o ásperas. Sepáralo en pequeños ramilletes, lávalos, enjuágalos y escúrrelos bien. Pela la cebolla y córtala en juliana. Limpia el solomillo de restos de grasa y córtalo primero en finos filetes al bies y luego en tiritas.

Pon a calentar un poco de aceite en un wok o sartén antiadherente de buen tamaño. Añade la cebolla, salpimienta y saltéala 2-3 min. Cuando empiece a cambiar de color, incorpora el brócoli y vuelve a saltear, moviendo la sartén por el mango con "sacudidas" enérgicas.

Agrega el solomillo cuando el brócoli haya adquirido un color más intenso, saltea hasta que la carne se dore e incorpora los anacardos. Salpimienta y riega con la miel y algo de agua para que esta se diluya.

Sirve enseguida el salteado, decorado con el sésamo negro y también unas hojitas de perejil lavado.

INGREDIENTES

- 1 solomillo de cerdo
- 200 g de brócoli
- 1 cebolla dulce
- 30 g de anacardos
- 20 g de sésamo negro
- 1 cucharadita de miel
- Perejil
- Pimienta
- Aceite de oliva
- Sal

Tiempo: 35 minutos
Raciones: 4
Calorías: 395

El truco

Lava bien el brócoli. Si lo vas a comer crudo o al dente, déjalo en remojo en agua fría con sal o vinagre durante unos minutos y enjuágalo después.

La receta

Curry de gambas
con arroz integral

Pela las cebolletas, las zanahorias y los ajos y pícalo todo. Tuesta el arroz en 1 cucharada de aceite unos instantes; agrega 400 ml de agua y 2 cucharaditas de sal y cuece 14 minutos.

Pocha la cebolleta y la zanahoria 2 minutos en 1 cucharada de aceite. Agrega el ajo y el jengibre.

Sofríe 2 minutos y añade el tomate, el curry, el azúcar y el zumo del limón.

Cuece a fuego lento 5 minutos. Agrega 1 cucharada de queso y remueve. Incorpora las gambas y cuece 8 minutos. Espolvorea con el cilantro lavado y picado y sirve con el arroz.

INGREDIENTES

- 400 g de gambas peladas
- 200 g de arroz basmati
- 2 cebolletas
- 1 cucharada de jengibre fresco rallado
- 2 dientes de ajo
- 1 limón
- 2 zanahorias
- Cilantro
- 1 cucharada de puré de tomate concentrado
- 10 g de azúcar moreno
- 1 cucharada de curry
- Queso blanco para untar desnatado
- Aceite de oliva
- Sal

Tiempo: 30 minutos
Raciones: 4
Calorías: 380

El truco

Si usas gambas sin pelar, cuece las cabezas y las cáscaras y usa ese caldo bien colado para cocer el arroz. Quedará mucho más sabroso.

La receta

Marmitako de salmón
con puré de patata

Deja la ñora en remojo en agua templada durante una hora. Escúrrela, ábrela y raspa la pulpa con un cuchillo; ponla en un cuenco. Lava el salmón, sécalo y córtalo en tacos de unos 3 centímetros.

Pela las patatas, lávalas y trocéalas. Cuécelas en agua salada con el laurel, 25 minutos. Escúrrelas y tritúralas.

Raspa la zanahoria y limpia el pimiento. Lávalos, con el tomate, y sécalos. Corta el tomate y el pimiento en dados, y la zanahoria trocéala en rodajas.

Pela la cebolla, pícala y rehógala en 1 cucharada de aceite, 15 minutos. Añade las hortalizas y el vino, y déjalo reducir. Vierte 100 ml de agua, y cuece 10 minutos. Incorpora la pulpa de la ñora y el salmón y prosigue la cocción 2 minutos más. Sirve el salmón sobre el puré. Decora con un poco de perejil.

INGREDIENTES

- 600 g de filetes de salmón
- 1 cebolla
- 750 g de patatas
- 1 pimiento verde italiano
- 1 zanahoria
- 1 ñora
- 1 tomate rojo grande
- 200 ml de vino blanco
- 1 hoja de laurel
- Perejil
- Aceite de oliva
- Sal

Tiempo: 40 minutos
Raciones: 4
Calorías: 356

El truco

Si lo deseas, puedes añadir al puré un trozo de calabaza. De esta manera añadirás al plato una ración de antioxidantes muy beneficiosos para la salud.

La receta

Canelones de piña
con yogur y granada

Pela la piña y corta longitudinalmente 12 láminas finas con una cortadora de fiambres; recorta los lados de las láminas para darles forma de pasta de canelón. Corta en daditos muy pequeños la piña sobrante.

Parte la granada por la mitad y golpea la piel con una cuchara para desprender los granos. Corta la chirimoya por la mitad y retira la pulpa con ayuda de una cuchara. Elimina las semillas y bate la pulpa. Pica unas hojas de menta.

Mezcla los yogures con el azúcar, la pulpa de la chirimoya, los daditos de piña, la granada y las hojas de menta picadas.

Coloca un par de cucharadas del relleno de yogur encima de cada lámina de piña y enrolla con cuidado formando 12 canelones. Sirve tres canelones por plato. Cubre con un poco de yogur, y decora con granada y hojas de menta.

INGREDIENTES

- ½ piña
- 1 chirimoya
- 1 granada
- 2 yogures
- 2 cucharadas de azúcar
- Menta fresca

Tiempo: 25 minutos
Raciones: 4
Calorías: 153

El truco

La piña contiene una enzima llamada bromelina que, además de contribuir a aliviar el dolor, ayuda a hacer la digestión. Por eso resulta un postre muy recomendable.

El resumen necesario
para que todo te resulte fácil

La intención de esta guía es que pongas en práctica los consejos y los estiramientos que se incluyen. Porque darán vida, salud y oxígeno a tus –quizá ya "encogidas"– vértebras. Con ese objetivo, te hemos preparado un práctico resumen. Míralo cuantas veces precises y trata de interiorizar las posturas que más alivio te den para realizarlas siempre que te sea posible.

Pon en marcha tu plan antidolor

Ahora ya tienes todas las herramientas indispensables para poder disminuir tu dolor de espalda mecánico en solo 10 minutos al día. Busca tu momento para ponerlo en práctica cada día y sé constante. ¡En poco tiempo notarás resultados!

Como has podido comprobar a lo largo de esta guía, en lo que se refiere a la buena salud de la espalda la prevención desempeña un papel esencial. Y, aunque ya has visto que la alimentación puede ayudar a mejorar el dolor, una de las cosas más importantes es sentir el cuerpo y tomar conciencia de él. Eso es lo que te puede ayudar a proporcionarle a tu espalda un alivio justo cuando lo necesita. Ahora ya tienes las herramientas para lograr este objetivo.

¿QUÉ TE FUNCIONA A TI?

Cada persona puede encontrar alivio con cierto tipo de estiramientos.
● **Detecta tus necesidades.** Cierra los ojos, respira calmadamente y haz un rápido recorrido anatómico, escuchando las señales que te envía tu cuerpo: pregúntate en cada momento del día dónde te duele, cómo y de qué manera. A continuación te ofrecemos algunas herramientas para identificar mejor estos aspectos.
● **Elige los estiramientos** que te ayuden en esa zona justo cuando te duele y observa después cuáles de ellos te favorecen más. Con este pequeño trabajo de observación, día a día, vas a poder elaborar tu propio plan de estiramientos para aliviar el dolor.

1. Descubre
cuándo te duele

Mantente atenta a cuándo sientes tus picos de dolor y rellena el recuadro inferior.
Identifica la hora del día en que notas más dolor (representada en la línea de la base).
Marca su intensidad (en la línea vertical, del 1 al 10).
Marca la casilla exacta donde se cruzan ambas líneas.
Al final del día une esas marcas con una línea y verás cómo evoluciona la molestia.

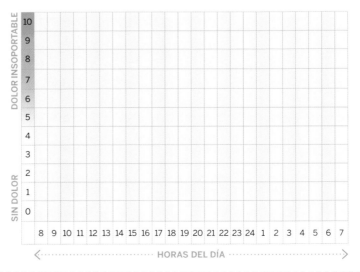

DOLOR INSOPORTABLE

10
9
8
7
6
5
4
3
2
1
0

SIN DOLOR

8 9 10 11 12 13 14 15 16 17 18 19 20 21 22 23 24 1 2 3 4 5 6 7

‹········· HORAS DEL DÍA ·········›

2. **Analiza** en qué punto estás tú

Puedes adaptar tu plan no solo a tu disponibilidad horaria, o teniendo en cuenta cuándo te duele, sino también valorando cuáles son tus necesidades. Realizar 10 minutos de estiramientos al día seguramente te servirá para prevenir el dolor, pero si ahora mismo estás sufriendo una crisis de dolor, quizá te convenga adaptar el plan a esta situación.

Si tu dolor acaba de aparecer (a veces todo empieza con una molestia muscular no muy intensa) seguramente puedes aplicar el plan de 10 minutos como te sugerimos, eligiendo el momento. Si el dolor ha ido intensificándose, puede que te convenga repartir los estiramientos a lo largo del día, reducir el número de minutos que les dedicas o, al contrario, intensificar el plan.

¿Sientes que "vives" con dolor de espalda?
No debes acostumbrarte a que el dolor sea el centro de tu vida. Pon en práctica el plan de 10 minutos al día y lograrás un cambio.

5. ¿El dolor está ganando terreno? Si por el dolor has dejado de hacer cosas que antes sí hacías, quizá te convenga intensificar el plan, dedicando más minutos al día a estirar.

4. Si afecta a tu sueño. Al no descansar bien, aumenta la tensión muscular y eso hará que adoptes malas posturas. Trabaja en ello. Puedes dividir tu plan, 2-3 minutos pero varias veces al día.

3. El estrés lo hará más intenso. Si no lo has parado en las etapas anteriores puede que el dolor sea fuerte. Descansa pero después actívate de nuevo.

1. El origen del dolor se debe en muchas ocasiones a tensiones musculares. Ante la primera señal conviene empezar con los estiramientos, en el momento que te vaya mejor.

2. Si "dejas" que dure varios días... generas estrés y, al estar tensa, notarás más dolor. Completa tu plan con actividades relajantes e intenta incluir alimentos antidolor en tu dieta.

3. **Convierte tu plan** en un hábito

En las próximas páginas hemos recopilado para ti el resumen de los diferentes ejercicios que componen los 3 planes de estiramientos que te hemos ofrecido (para la mañana, el mediodía o la noche).

Así podrás consultar de forma rápida la serie de estiramientos cada vez que los quieras poner en práctica. Si lo haces cada día, poco a poco irás interiorizando el plan y se convertirá en tu rutina de autocuidado.

Si te levantas con molestias... alíviate en 10 minutos

Arranca con
el truco de los hilos
3 minutos

Empuja
hacia delante
30 segundos

Recupera
tu equilibrio
30 segundos

Crece
por arriba
30 segundos

Cervicales
sin tensión
1 minuto

Si acusas dolor a mediodía... destensa en 10 minutos

Respira y palpa
tus tensiones
6 minutos

El arco
que destensa
30 segundos

Abre bien
las vértebras
30 segundos

Expande
tu caja torácica
30 segundos

Pulgares
en la nuca
30 segundos

Si acabas el día con rigidez... relájate en 10 minutos

Tensa, destensa
y masajéate
6 minutos

La postura
de la cúpula
30 segundos

El aleteo
de brazos
30 segundos

Extensión
lateral
30 segundos

Manos
a la rodilla
30 segundos

Páginas 34 a 41

Destensa
los brazos
1 minuto

Trabaja hombros
y trapecios
30 segundos

Crece
por arriba
1 minuto

2 auto-masajes que alivian
antes de levantarte de la cama
2 minutos

Páginas 64 a 73

Estiramiento
en diagonal
30 segundos

Un estiramiento
isquiotibial
30 segundos

Flexibiliza
cuádriceps y gemelos
30 segundos

Alarga tu cuerpo
en línea recta
30 segundos

Páginas 100 a 109

Relaja
la musculatura
30 segundos

Alarga
tus lumbares
30 segundos

Rota
a derecha e izquierda
30 segundos

Posición
fetal
30 segundos